DAG IN
DAG UIT 2014

Voor informatie: info@arkmedia.nl
of: 020 480 29 99.

ISBN 978 90 33877 59 9
NUR 707
DAG IN DAG UIT 2014
Geschreven door diverse auteurs.
© 2013 – Gezamenlijke uitgave van:

Ark Media
Donauweg 4, 1043 AJ Amsterdam
020-480 29 99
www.arkmedia.nl

Leger des Heils
Spoordreef 10, 1315 GN Almere
036-53 98 111
www.legerdesheils.nl

*In september 2013 bestond Stichting Ark Mission
100 jaar. Via Ark Mission draagt Ark Media bij aan de
verspreiding van het evangelie in binnen- en buitenland.
Volg het jubileumnieuws op www.arkmission.nl en
bekijk daar ook alle projecten.*

In mei 2012 bestond het Leger des Heils 125 jaar.

De volgende auteurs hebben aan dit jaar bijgedragen:

1 t/m 15 januari	Ds. L.H. Kwast
16 t/m 31 januari	Ds. M. de Best
1 t/m 14 februari	Ds. J.H. Veefkind
15 t/m 29 februari	Dhr. M. van der Linden
1 t/m 16 maart	Majoor G. Barkmeijer
17 t/m 31 maart	Majoor P. Slingerland
1 t/m 15 april	Ds. J. Hofman
16 t/m 30 april	Ds. J. Maasland
1 t/m 16 mei	Ds. J. Maasland
17 t/m 31 mei	Ds. H. Last
1 t/m 15 juni	Majoor mw. H.A. Buitelaar
16 t/m 30 juni	Ds. L.G. Compagnie
1 t/m 16 juli	Majoor mw. M. Poppema-de Man
17 t/m 31 juli	Ds. E. Westrik
1 t/m 16 augustus	Majoor drs. S.M. van der Vlugt
17 t/m 31 augustus	Majoor drs. S.M. van der Vlugt
1 t/m 15 september	Ds. M. Oppenhuizen
16 t/m 30 september	Ds. P. Busstra
1 t/m 16 oktober	Ds. J. Smit
17 t/m 31 oktober	Ds. L.G. Compagnie
1 t/m 15 november	Mw. Drs. C.N. van der Kruk-de Boer
16 t/m 30 november	Envoy J. van Dijk (M.A.)
1 t/m 16 december	Ds. H. Overeem
17 t/m 31 december	Dhr. P. Abspoel

'Dag in - Dag uit' wordt in braille uitgegeven door de CBB (Christelijke Bibliotheek voor Blinden en Slechtzienden) te Ermelo. Voor meer informatie: 0341-565499 of: info@cbb.nl

Woord vooraf

Elke dag de Bijbel openslaan - een groot voorrecht dat we in vrijheid mogen genieten. Woorden van God die we tot ons mogen nemen, die ons helpen bij ons leven, in welke situatie dan ook. Woorden die ons bemoedigen en doen volhouden. Want wat God heeft beloofd, zal Hij doen. Dat is de rode draad door de Bijbel heen en dat is wat we in gedachten mogen houden bij het lezen in de Bijbel. Het bijbels dagboekje 'Dag in dag uit' wil daarbij een leidraad zijn. Diverse auteurs en hun redactie hebben met plezier hieraan meegewerkt.

Zoals elk jaar wordt er een evangelie uitgelicht, dit jaar is dat het evangelie naar Matteüs. Daarnaast lezen we Paulus' brieven aan de gemeentes van Efeze en Filemon en het boek Handelingen vanaf hoofdstuk 9. Vanuit het Oude Testament is er - naast het bijbelboek Numeri - aandacht voor een viertal 'kleine' profeten: Jona, Joël, Zacharia, Micha en voor de profeet Daniël. Verder worden de thema's 'zee' en 'hoop' overdacht in bijbels perspectief. We vergeten ook de minder bekende gedeeltes uit het Oude Testament niet: Ezra en Nehemia staan voor een grote uitdaging, uiteindelijk belangrijk voor de heilsgeschiedenis - Gods volk mag opnieuw beginnen!

Ik wens u veel zegen toe en bid dat we mogen ervaren hoe groot en eeuwig Gods liefde is!

Mede namens de redactie,
Paul Abspoel, uitgever Ark Media

NB: Wilt u naar aanleiding van een bepaalde dagtekst in *Dag in dag uit* contact opnemen met de auteur ervan, dan kunt u schrijven naar het volgende adres:

Redactiecommissie 'Dag in dag uit'
Donauweg 4
1043 AJ Amsterdam

De redactie geeft geen adressen van de schrijvers vrij, maar zal uw brief graag doorsturen. Natuurlijk kunt u ook met algemene vragen over *Dag in dag uit* terecht bij de redactie.

Lezen: Matteüs 3:7-17

...na mij komt iemand die meer vermag dan ik... (vs. 11)

Een nieuw jaar, een nieuw begin en een nieuwe lezing. Er staat een bijzonder mens in ons midden. Zijn kleding en zijn gedrag vallen op. Zijn woorden zijn als mokerslagen.
Van heinde en verre stromen mensen toe. Dit spektakel willen ze niet missen. Want die Johannes is een dwarsligger. Zou hij van een andere planeet komen? Hij heeft het over een leven dat ons vreemd is. En over een uur waarin alles op het spel komt te staan. Hij zegt dat hij voorlopig is. Er komt iemand anders. De schaduw van die ander valt al over Johannes. Die ander komt tussen onze tijden omdat wij mensen aan de tijd verslijten. Voorloper Johannes heeft Hem al gezien. Het is Jezus van Nazaret, mens onder de mensen, die onze tijd deelt en heelt. Met zo'n metgezel worden de tijden minder zwaar.

Lezen: Matteüs 4:1-11

Daarop zei Jezus tegen hem: 'Ga weg, Satan!' (vs. 10)

Satan is een bikkelharde werkelijkheid. Hij is de verpersoonlijking van het kwaad in de wereld. Niemand ontkomt aan zijn zuigkracht. Hij heeft ook alles op alles gezet om Jezus onder zijn invloed te brengen. Hij zal God een hak zetten door Jezus te verleiden. Het is een eenzaam gevecht geworden. Driemaal achtereen valt Satan aan. Driemaal achtereen wijst Jezus hem af met een beroep op wat namens God geschreven staat. De laatste keer zegt Hij erbij: 'Maak dat je wegkomt, Satan!'
Later heeft Hij ook zoiets tegen Petrus gezegd. Toen viel ook de naam van Satan. Maar toen zei Jezus er iets bij: 'Ga weg, achter Mij, Satan!' De grote Satan van Matteüs 4 werd afgewezen, de kleine Satan van Matteüs 16 alias Petrus werd teruggewezen. Dat is het verschil. Maar onderschat de grote Satan niet! Zonder Jezus leg je het zomaar tegen hem af.

Vrijdag 3 januari

Lezen: Matteüs 4:12-25

Kom tot inkeer... (vs. 17)

Jezus begeeft zich onder de mensen. Zijn inzet is hoog, duizelingwekkend hoog. In het noorden van het land (in de ogen van velen achtergebleven gebied) zegt Jezus: 'U moet omkeren. U bent de verkeerde weg ingeslagen. Er is een heel andere werkelijkheid op komst.' Die werkelijkheid draagt een naam om van op te horen: hemels koninkrijk.

Hier grijpt Jezus zonder omwegen naar de kern van de zaak – en naar ons hart! Wij zijn het zelf die de wereld bedorven hebben. Die wereld is niets anders dan de macrospiegel van ons hart. Wie een andere wereld als ideaal heeft, moet bij zichzelf zijn. Laat niemand de illusie koesteren dat je daarvoor bij de politiek moet aankloppen. Ons innerlijk moet tot op de bodem overhoop gehaald worden. Noem het inkeer, noem het bekering, noem het omkeer. In elk geval kan het niet met minder toe.

Zaterdag 4 januari

Lezen: Matteüs 5:1-10

...wie zuiver van hart zijn ... zullen God zien. (vs. 8)

Negenmaal feliciteert Jezus mensen. Het zijn mensen die nooit in de krant komen. Ze vallen niet op, omdat ze bescheiden zijn, omdat ze tranen in de ogen hebben, omdat ze er geen dubbele boekhouding op nahouden. Jezus is met zijn felicitaties niet realistisch. Hij heeft het over mensen die in onze ogen nauwelijks of niet bestaan. Wie durft met deze mensen om te gaan? Zijn Jezus' gelukwensen niet veel te hoog gegrepen?

Wij zouden deze ouverture op Jezus' Bergrede kunnen lezen als een spervuur over ons dagelijks leven. Tot onze laatste snik zullen wij blijven falen. Dat is tegelijk de reden waarom wij God niet te zien krijgen. Hij is onzichtbaar voor mensen die met de rug naar Hem toe staan. Wij komen eerst dan in de buurt van Jezus' felicitaties zodra zijn goede boodschap het in ons hart voor het zeggen krijgt. Daarvoor is omkering nodig.

Lezen: Matteüs 5:11-16

Jullie zijn het zout van de aarde. (vs. 13)

Zout is een smaakmaker. Zout zorgt ook voor conservering. Het heeft ook nog een derde betekenis. In het Midden-Oosten staat het symbool voor vrede. Een sjeik biedt zijn gasten zout aan om daarmee te zeggen dat hij vrede met hen wil.

Onze mensengeschiedenis verkeert eeuw in eeuw uit in de schaduw van Kaïn. Hij sloeg zijn broer Abel dood. Zo werd onze historie ingekleurd. Jezus zegt tegen zijn leerlingen dat zij in die keten niet thuishoren. Ze zijn als het zout. Hun weg zal die van de vrede zijn. Hun bewapening ligt niet opgeslagen in de honderden arsenalen van onze wereld. Ze beschikken over ander wapentuig: gelatenheid, geduld, vriendelijkheid, hulpvaardigheid en opoffering. Geen stalen vuist maar helende handen - instrumenten van Gods vrede. Overal richten ze de voortekenen op van het hemels koninkrijk. Wat een toekomst!

Lezen: Matteüs 5:17-20

Ik ben niet gekomen om ze af te schaffen... (vs. 17)

Het woord 'wet' schrikt veel mensen af. Tegenwoordig zeggen we liever: 'Moet kunnen.' Het gevolg laat zich raden: een samenleving die op drift raakt. Maar in het gevolg van Jezus gaat het een heel andere kant uit. De herhaling in vers 17 van woorden als 'gekomen' en 'afschaffen' betekent dat Jezus van Gods wet radicale ernst gaat maken. Hij is er tenslotte aan gestorven.

Gods wet is levensregel. In het Oude Testament is er een complete Psalm (119) aan gewijd.

Je leven fleurt ervan op. En dat wordt in Jezus' omgang met mensen zichtbaar. Wie Jezus ontmoet, wordt er beter van. Dat heeft alles te maken met zijn omgang met de wet. Die wet is hetzelfde als de stem van God. Die stem is de muziek in woorden en daden van Jezus. Dat werkt aanstekelijk. Wie achter Jezus aan loopt, wordt er een ander mens van.

Dinsdag 7 januari

Lezen: Matteüs 5:21-26

...ga je eerst met die ander verzoenen en kom daarna je offer brengen. (vs. 24)

Wij zijn nette mensen. Moord en doodslag staan niet in ons woordenboek. Maar Jezus opent onze ogen voor het misverstand dat schone handen ook een schoon hart betekenen. Kaïn heeft Abel niet zomaar doodgeslagen. Er was al duisternis in zijn hart. Daardoor werd zijn blik donker. En dan gaat het van kwaad tot erger. Jezus zegt dat je niet kunt bidden als er tussen jou en een ander nog een blokkade ligt. Die moet eerst opgeruimd worden. De weg naar het hart van de ander begint met het eigen initiatief om de minste te zijn.

Daarom is Gods wet niets minder dan een levensregel. De wet is geen dikke stoffige foliant die mensen het leven verzuurt. Integendeel: de zon gaat schijnen en je levensweg loopt niet dood. Onze samenleving zou er heel anders gaan uitzien.

Woensdag 8 januari

Lezen: Matteüs 5:27-32

Iedereen die naar een vrouw kijkt en haar begeert, heeft in zijn hart al overspel met haar gepleegd. (vs. 28)

Dat kunnen wij ons aantrekken. Want zeker in onze westerse wereld is de samenleving verseksualiseerd. Speelfilms, reclame, popmuziek, het worden kassuccessen als ze seksueel prikkelen. Jezus veroordeelt niet de aantrekkingskracht tussen man en vrouw. Dat is een oerkracht die met de schepping van de mens is meegegeven. Maar Hij beschuldigt mensen van onreinheid als ze met begerige ogen naar de metgezel van een ander kijken. Dát kijken heet in Jezus' woorden al overspel.

Is deze krasse taal wel van onze tijd? Wij maken immers zelf wel uit wat onze manieren zijn. Wij willen niet schijnheilig door het leven gaan. Maar dan zien we over het hoofd dat Jezus' Bergrede één pleidooi is om onze doodzieke wereld de rug toe te keren en op weg te gaan naar zijn hemels koninkrijk.

Lezen: Matteüs 5:33-42

Ik zeg tegen jullie je niet te verzetten tegen wie kwaad doet... (vs. 39)

Dat is dan wel de omgekeerde wereld. Mag een mens niet voor zichzelf opkomen? En hebben we geen overheid die het kwade bestraft? Wil Jezus dat wij alles over onze kant laten gaan?
De Bergrede opent perspectieven naar een andere wereld. Daar gaat alles op de schop. Jezus ziet zijn volgelingen als de voorhoede van de toekomst. Zij brengen het hemels koninkrijk alvast in praktijk. Als in hun kring zich onrecht heeft voorgedaan, is hun reactie verrassend nieuw. Ze bieden geen weerstand. Ze slaan niet terug. Dat klinkt ons bijzonder vreemd in de oren. Zo zit onze samenleving niet in elkaar. Bij ons wordt nog altijd de ballade van Kaïn en Abel gezongen. Juist daarom kunnen mensen hartstochtelijk verlangen naar de ondergang van wat kwaad en boos is. In de navolging van Jezus komt dat uur in zicht.

Lezen: Matteüs 5:43-48

Wees dus volmaakt, zoals jullie hemelse Vader volmaakt is. (vs. 48)

Jezus vraagt hier echt het onmogelijke. Uit de tekst blijkt duidelijk dat Jezus zijn leerlingen op het oog heeft. Zij staan onder het gebod om volmaakt te zijn als spiegelbeeld van de hemelse Vader. Maar is er enig mens die zoiets kan opbrengen?
De Bergrede is één doorlopende kritiek op onze dagelijkse handel en wandel. Wie Jezus' woorden tot zich laat doordringen, kan maar één conclusie trekken: wij deugen niet; wij zijn ondermaatse mensen. Want wij blijven ver onder de maat die God ons toegemeten heeft. Al bij de dageraad van onze geschiedenis ging het de verkeerde kant uit.
Hebben Jezus' leerlingen zijn woorden verstaan? Misschien duurde het lang om te leren dat alleen Jezus' kruisdood onze redding is. En wij? Hebben wij dat inzicht wel?

Zaterdag 11 januari

Lezen: Matteüs 6:1-4

...bazuin dat dan niet rond... (vs. 2)

Sommige mensen hebben de gewoonte zichzelf in de etalage te zetten. Jezus komt volksgenoten tegen die met hun correcte levenswijze pronken. Ze komen secuur Gods wetten na en beoefenen daarmee de gerechtigheid. Dat op zich verwijt Jezus hen niet. Maar Hij veroordeelt hun onhebbelijkheid om voor zichzelf de vlag uit te steken. Ze willen door hun medemensen geprezen worden. Jezus noemt hen huichelaars of eigenlijk toneelspelers. Bij de mensen in een goed blaadje staan betekent nog niet dat God de vlag voor je uitsteekt.

Gulheid ten behoeve van anderen is pas een deugd wanneer dat geruisloos in praktijk wordt gebracht. Publiciteit moet achterwege blijven. Laat het aan God over om te zijner tijd die gulheid met je te verrekenen! Doe wat de Heer van je vraagt en maak daar geen show van! Bewogenheid met de ander hoeft niet in de krant.

Zondag 12 januari

Lezen: Matteüs 6:5, 6

Sluit de deur en bid tot je Vader, die in het verborgene is. (vs. 6)

Godsdienst is geen poppenkast op de Dam. Daarom haalt Jezus uit tegen de gewoonte van die tijd om de vrome Jozef uit te hangen door op straathoeken te staan bidden.

Bidden is niets minder dan met God in gesprek gaan. Hij is je biechtvader, aan wie ook de diepste levensgeheimen kunnen worden toevertrouwd. Dat vraagt om de uiterste privacy.

Er is slechts Eén die ons levensboek bladzijde voor bladzijde en woord voor woord mag lezen. Dat gebeurt wanneer wij biddend ons hart en leven voor de Heer brengen.

Dat luistert zo nauw dat gebeden in de eredienst geen hoogstandjes van letterkundig genot mogen worden. Ook in de samenkomst van de gemeente is het gebed niets anders dan een gesprek met God. Dat vraagt niet om welsprekendheid maar om openhartigheid. Daarin mag je woorden tekortkomen.

Lezen: Matteüs 6:7, 8

Jullie Vader weet immers wat jullie nodig hebben... (vs. 8)

Jezus' volgelingen en de Here God zijn voor elkaar geen vreemden. Dat kunnen we uit deze verzen van de Bergrede afleiden. Wat de discipelen nodig hebben is bij God bekend. Waarom dan nog bidden? De Here God wil met zijn mensen in gesprek zijn. Voor mensen betekent dat: gebed zolang er adem in hen is. Heel de bijbel door wordt duidelijk dat mensen los van God niet tot hun bestemming komen. Zonder Gods zorg en zonder zijn leiding zijn ze reddeloos verloren. Hun geschiedenis is het sprekende bewijs dat een godloze samenleving tot ondergang is gedoemd. Maar tegelijk zijn er in diezelfde geschiedenis signalen van God als dagelijkse reisgenoot. Reisgenoten zijn op communicatie aangewezen. Zo zijn wij met Gods woord onderweg: het is Gods stem in onze oren. Tegelijk zijn onze gebeden voor God een teken dat wij van zijn vaderzorg willen leven.

Lezen: Matteüs 6:9-15

...zal jullie hemelse Vader ook jullie vergeven. (vs. 14)

Als de Here God mensen hun falen en feilen vergeeft, is dat als het begin van een lange rij dominosteentjes. Vergeving wil worden doorgegeven. Wie van vergeving leeft, deelt vergeving uit. Het ene zit onlosmakelijk aan het andere vast. Wie weigert een ander vergiffenis te schenken, is in Gods hemels koninkrijk niets anders dan een spelbreker. Een aanzienlijk deel van onze mensengeschiedenis bestaat uit een samenballing van rancune, wrok en onverzoenlijkheid. De ander die bij ons in het krijt staat, komt bij ons niet meer als medemens in zicht. Gevolg is dat wij dan ook bij God uit het zicht raken.

Gods vergeving betekent dat Hij met ons opnieuw wil beginnen. Daar ademen wij van op en dan mag een ander opademen van ons besluit om opnieuw met die ander te beginnen. Vergeving werkt aanstekelijk.

Lezen: Matteüs 6:16-18

Ik verzeker jullie: zij hebben hun loon al ontvangen. (vs. 16)

Wie Jezus navolgt, loopt er niet mee te koop. De Heer hekelt de gewoonte van zijn dagen om van het vasten een publieke vertoning te maken: 'Kijk eens hoe vroom ik ben!' Godsdienst is geen toneelspel.

Wij lopen vandaag de dag een heel ander risico. Niet alleen verwaarlozen wij het vasten. Wij hebben ook nog eens de neiging om onze verbondenheid met het christelijk geloof te verheimelijken. Het lijkt wel of wij ons voor de naam van Jezus Christus schamen. Ook dat kan een kwalijke gewoonte worden. Dan doen wij alsof. In Jezus' ogen is dat niets minder dan huichelarij. Gods hemels koninkrijk wordt zichtbaar in het leven van mensen die zich door zijn geboden en beloften laten leiden. Ze staan bij God te boek als zijn kinderen. Hun toekomst is bij Hem gegarandeerd.

Lezen: Matteüs 6:19-21

Waar je schat is, daar zal ook je hart zijn. (vs. 21)

Wat zijn er veel mooie dingen in de wereld! We kunnen het zien op tv, internet en in folders. Mooie kleding, sieraden, een auto, een huis, een vakantie. Eén ding is jammer: kleding slijt, auto's roesten, vakanties zijn zo weer voorbij. We genieten een kort moment, maar het is niet blijvend – en dan willen we weer iets nieuws. Maar mogen we dan niet genieten van die mooie dingen? Jazeker. Het is genade boven op de genade. Tenslotte is God de eigenaar van alles. Maar het wordt iets anders als we achter al die mooie dingen God niet meer zien. Als al die mooie dingen ons hele hart vullen. De plaats van God in gaan nemen. Als we ons hart verliezen aan allerlei schatten maar de grote schat uit het oog verliezen. Want nieuwe dingen worden oud, slijten en verdwijnen. Maar God met zijn liefde blijft altijd.

Lezen: Matteüs 6:22-23

Als je oog helder is, zal heel je lichaam verlicht zijn. (vs. 22)

Tijdens de poolnacht is het op de aardpolen drie maanden donker. Diepe duisternis. Wie dan vast komt te zitten op een pool, verdwaalt in het duister en stort lichamelijk én geestelijk in. Zoiets kan ook gebeuren in ons geestelijk leven. God is het licht. Zijn woord is een lamp voor onze voet en een licht op ons pad. God, het licht, brengt leven. Jezus is de stralende Morgenster. Als we in het licht wandelen - en dat doen we als we ons richten op God - vinden we de weg. Maar als we in het duister gaan wandelen, ons niet meer op God richten, wordt het donker in ons leven. Dan verdwalen we en uiteindelijk storten we zelfs in. Waar kijken we naar? Wat laten we binnen in ons hart? Er is veel te zien in de wereld! Zijn het dingen waardoor het donker wordt en we verdwalen, of laten ze ons in het licht wandelen met Jezus?

Lezen: Matteüs 6:24-34

Maak je dus geen zorgen voor de dag van morgen... (vs. 34)

Zorgen zijn er zomaar. Daar hoef je niets voor te doen. Je zorgen maken kost veel energie. Maar wat schiet je ermee op? Door je zorgen te maken verandert er niets aan de situatie maar verlies je ondertussen wel je kracht en rust. Spanning en onrust komen ervoor in de plaats. Jezus zegt: 'Ik wil dat jullie je geen zorgen maken voor de dag van morgen.' Kan dat? Mag dat? Als dit eens waar zou zijn! Maar hoor je wel wie dit tegen je zegt? Het is niet een goedbedoeld advies van de buurman. Het is Jezus zelf! Zou Jezus liegen of je de verkeerde kant op sturen? Nee! Dan is dit dus ook waar! Echt, zegt Jezus, maak je geen zorgen voor de dag van morgen! Daar heb jij als mens geen vat op! Breng je zorgen, je hele leven, bij God de Vader. Hij zorgt voor je - vandaag en morgen!
Ik mag mijn zorgen in Gods handen leggen.

Zondag 19 januari

Lezen: Matteüs 7:1-5

Oordeel niet, opdat er niet over jullie geoordeeld wordt. (vs. 1)

Natuurlijk hebben we allemaal ons oordeel over situaties, mensen en dingen. Mag dat eigenlijk niet van Jezus? Zo moet je deze woorden niet opvatten. Het gaat Jezus niet in de eerste plaats om het feit dat we oordelen, maar om de manier waarop: hard, lichtvaardig. Jezus waarschuwt tegen zulk oordelen met een beroep op zijn Vader. Hij zegt: 'Bedenk dat God ten slotte een oordeel velt over ieder mens' Hoe wil je dat zijn oordeel uitvalt? Positief, allicht! Maar als Hij nu eens oordeelt op de manier waarop jij in het dagelijks leven je oordelen laat klinken? Ziet het er dan nog altijd hoopvol voor je uit? Jezus houdt ons een spiegel voor. Hij waarschuwt ons en legt de vinger bij een zere plek: onze manier van anderen oordelen.

Wil jij, zegt Jezus, door God mild geoordeeld worden? Begin dan vandaag met mild te oordelen over anderen!

Maandag 20 januari

Lezen: Matteüs 7:6

...gooi je parels niet voor de zwijnen... (vs. 6)

De woorden van Jezus toepassen in de praktijk van ons dagelijks leven valt lang niet mee. Neem nu zo'n woord over parels en zwijnen. Het beeld is duidelijk: parels aan zwijnen geven is 'weggegooid geld'. Jij bent je rijkdom kwijt, terwijl de ander de waarde van jouw geschenk niet (h)erkent. Een zinloze daad, dus. Dat met de parels de blijde boodschap van het evangelie bedoeld is, mag duidelijk zijn. En de zwijnen staan voor de mensen die het evangelie achteloos naast zich neerleggen. Dan kun je het maar beter niet vertellen, zegt Jezus.

Maar wat moet ik nu? Als christen ken ik de opdracht getuige van het evangelie te zijn - en nu dit woord van Jezus. Ik ga de mensen niet (bij voorbaat) in groepen indelen als ik iets wil vertellen over God. Maar ik houd wel rekening met hun reacties. Die bepalen mede of ik nog meer vertel...

Lezen: Matteüs 7:7-11

...hoeveel te meer zal jullie Vader in de hemel dan het goede geven... (vs. 11)

Vraag en er zal je gegeven worden, zoek en je zult vinden, klop en er zal voor je worden opengedaan. Maar is dit wel zo? Misschien heb je al heel vaak gevraagd om dat ene maar het is je niet gegeven. Hoe kan dat? Nu, er staat niet dat je altijd datgene ontvangt waar je om vraagt. Zo gaat het in het dagelijks leven ook. Papa, mag ik snoep? En wat doet papa? Hij geeft... een appel. Onze God is een gulle God. Hij geeft graag! Hij geeft alles! Hij gaf zelfs zijn Zoon. Daar hadden we niet om gevraagd, maar toch deed Hij het. Hij gaf nog meer dan we hadden kunnen bedenken of durven vragen of dromen. En wat was dit goed! Zo is God. Hij geeft het goede aan zijn kinderen omdat Hij zo veel van ons houdt. En dat goede... ja, dat is dan soms iets heel anders dan ik had gevraagd of bedacht. Het 'smaakt' anders, maar ik mag erop vertrouwen dat het beter is.

Lezen: Matteüs 7:12

Behandel anderen dus steeds zoals je zou willen dat ze jullie behandelen. (vs. 12)

'Wat gij niet wilt dat u geschiedt, doe dat ook een ander niet' is een bekende uitdrukking. De uitdrukking is negatief opgesteld: 'Behandel een ander niet op een manier waarop jij zelf niet behandeld wilt worden!' De woorden van Jezus lijken hierop, maar zijn positief geformuleerd. Ze omvatten daardoor meer: je moet niet alleen lelijke dingen nalaten, je moet juist positief in actie komen! Behandel de ander goed! Namelijk zoals je zelf ook behandeld wilt worden. Dat de ander je liefheeft, je ziet staan, er voor je is in vreugde en verdriet. Nu, zegt Jezus, dat is het hart van de bijbel! God was en is er voor mij. Hij heeft mij lief. Daarom zegt Jezus: 'Kom in actie!' Deel die liefde van God verder uit aan de ander.

Donderdag 23 januari

Lezen: Matteüs 7:13-14

Ga door de nauwe poort naar binnen. (vs. 13)

Voor wie de juiste weg zoekt, zijn er veel hulpmiddelen, zoals een tomtom of een planner. Maar als we de goede weg in ons dagelijks doen en laten moeten vinden, heb je andere hulpmiddelen nodig. Dan komt het aan op keuzes. Je kunt de weg volgen die de meeste mensen gaan, maar of je dan komt waar je moet zijn? Dat doe je in het verkeer toch ook niet?
Wat is de juiste weg? Het is de weg achter Jezus aan. Als ik Hem volg dan is er geen plaats of Hij is er al geweest.
Maar de weg van Jezus is niet altijd de gemakkelijkste weg. Als ik Jezus volg, ga ik (vaak) tegen de stroom in. Het is een smalle weg en ik moet soms 'nee' zeggen tegen anderen of tegen mijn eigen verlangens. Maar ik ga die weg niet alleen. Ik ga die weg samen met de Heer. Dat is veilig, en Hij weet de weg. Met Hem kom ik dan ook op mijn bestemming: veilig thuis!

Vrijdag 24 januari

Lezen: Matteüs 7:15-20

Aan hun vruchten zul je hen herkennen. (vs. 16)

Als de bomen en struiken nog geen bladeren hebben, zoals nu, kun je als leek niet goed zien wat voor struik of boom het is. Dat gaat straks wel veranderen. De bladeren en de bloesems maken al veel duidelijk. Als de kleine vruchtjes beginnen te groeien, dan weet je: dit is een appelboom, dat een perenboom. Heerlijke vruchten! Maar er zijn ook vruchten die er heerlijk uitzien en die je niet kunt eten! Je zou er ziek van worden! Zo kan het ook gaan met mensen die over onze Heer en zijn woord spreken. Het ligt misschien goed in het gehoor. Maar als je nog eens goed kijkt in je bijbel, klopt het niet. Dit zijn geen goede vruchten! En als je hiernaar luistert - dus deze vruchten zou eten - word je ziek. Het is niet goed voor je relatie met de Here God of de relatie met de ander. Daarom zegt Jezus: 'Let altijd goed op wat je 'eet'! Klopt het met wat Ik zeg in mijn woord?'

Zaterdag 25 januari

Lezen: Matteüs 7:21-23

...alleen wie handelt naar de wil van mijn hemelse Vader. (vs. 21)

Tegen iemand zeggen: 'Ik houd van je', en vervolgens die ander slecht behandelen of pijn doen - dat kan niet! Liefhebben bestaat niet uit woorden alleen. Hoe zit dat met onze verhouding tot Jezus? Hebben wij Hem lief? Ik hoop dat we allemaal 'ja!' zeggen. Want Hij heeft óns lief! Dat heeft Hij bewezen door voor ons zijn leven te geven, zodat het goed kwam tussen ons en de Vader. Wat een liefde, wat een genade! 'Ja, Heer, ik heb U lief!' En... dan kan het niet anders of ik ga er ook naar handelen. Doen wat de Heer, wat de Vader vraagt. Niet omdat het moet maar omdat ik Hem liefheb, omdat ik dankbaar ben. Ik wil mijn God en mijn Redder toch geen pijn meer doen? Ik wil Hem toch niet kwetsen? Heer, wat wilt U dat ik doe, want ik doe het graag. Niet om mijn redding te verdienen, want dat hebt U gedaan. Ik wil het doen omdat ik U liefheb!

Zondag 26 januari

Lezen: Matteüs 7:24-27

Wie deze woorden van Mij hoort en ernaar handelt... (vs. 24)

Jezus heeft tot ons gesproken in de Bergrede. We hebben het allemaal gehoord. En nu? Wat is onze reactie? Nemen we het alleen voor kennisgeving aan? 'Mooi gezegd, hoor!' Of gaan we er ook daadwerkelijk iets mee doen? Gebruiken we deze woorden als fundament? Want daar gaat het om in deze gelijkenis. Zijn Jezus' woorden, is Jezus zelf, de basis, het fundament van mijn leven - want op Hem kan ik mijn levenshuis bouwen? Iedereen bouwt aan zijn levenshuis. En de huizen zien er allemaal misschien heel mooi uit. Maar wat als het stormt in je leven of er slaan hoge golven van moeiten tegen je levenshuis aan? Dan komt aan het licht hoe stevig het huis is gebouwd. Welk fundament eronder ligt. Al gaat de storm tekeer en zijn er hoge golven - en wat is dat moeilijk en zwaar! - met Jezus zal ik blijven staan en overwinnen!

Lezen: Matteüs 7:28-8:1

...Hij sprak hen toe als iemand met gezag... (vs. 29)

Wat doe je als je een ingewikkeld apparaat hebt gekocht? Dan lees je eerst de gebruiksaanwijzing. De maker van het apparaat weet hoe het werkt. Ieder mens is uniek geschapen door de Here God. En een mens zit 'ingewikkeld' in elkaar. Maar onze Maker weet wat goed en niet goed voor ons is. Hij weet hoe een mens echt mens kan zijn en tot zijn doel kan komen. Wat is het dus belangrijk dat ik de gebruiksaanwijzing volg. Luister naar je Maker, want Hij heeft wat te zeggen. Hij heeft alles te zeggen. En dat woord van God heeft zo'n kracht! Als God iets zegt, gebeurt het ook. Jezus is zelf het woord van God. God spreekt tot ons door Jezus. En dat woord, Jezus zelf dus, brengt ons het leven. Door dat woord worden we gered en worden we weer echt mens zoals God het van het begin af aan had bedoeld. Dan kom ik echt tot mijn bestemming.

Lezen: Matteüs 8:2-4

Ik wil het, word rein. (vs. 3)

Dat Jezus gezag heeft, zien we in de geschiedenissen die nu volgen. Iemand met huidvraat (melaatsheid) komt naar Hem toe. Het is een verschrikkelijke, verminkende ziekte én het is besmettelijk. Je bent onrein en wordt uit de samenleving gebannen – weg van iedereen die je liefhebt! Jezus zegt: 'Ik wil dat je rein wordt.' En Hij raakt de man aan! Voor het eerst in misschien jaren wordt de man aangeraakt! Jezus neemt de onreinheid op zich. Jezus brengt niet alleen lichamelijk herstel maar totaal herstel! De man kan weer terug naar zijn familie en naar Gods volk. Wat een vooruitzicht, ook voor ons. Jezus' redding is allesomvattend. Hij wast ons niet alleen schoon van onze zonden maar zal uiteindelijk ook uitkomst geven in al onze lichamelijke en geestelijke nood en eenzaamheid, ja, zelfs uitkomst uit de dood. Zijn redding omvat ons hele leven.

Lezen: Matteüs 8:5-13

Ik zal meegaan... (vs. 7)

In onze tijd is 'afstand geen bezwaar'. In een mum van tijd ben je aan de andere kant van de wereld of zelfs op de maan. Dat was in de tijd van Jezus wel anders. Of toch niet? 'Heer, U hoeft alleen maar te spreken en mijn slaaf zal genezen.' Wat een geloof van die Romeinse centurio! Heer, voor U zijn afstanden geen bezwaar! Dat geldt ook vandaag. Jezus is teruggekeerd naar de Vader. Hemel en aarde, wat een afstand! Op aarde zo veel nood, in de hemel het leven. Maar we mogen geloven: 'Afstand geen bezwaar!' En we mogen bidden: 'Heer, U hoeft alleen maar te spreken.' En de Heer spreekt! En met gezag! En Hij antwoordt. Soms door een wonder, maar altijd door de heilige Geest die mij troost en kracht geeft om ook dat heel moeilijke in mijn leven te kunnen dragen en verder te gaan op weg naar de Grote Toekomst als aarde en hemel één zullen zijn.

Lezen: Matteüs 8:14-17

...opdat in vervulling ging wat gezegd is... (vs. 17)

Wij kunnen grote plannen hebben, maar of ze uitkomen...? God heeft een plan met óns, met deze schepping. Dit plan zal uitkomen! Jesaja mocht al iets van Gods plannen verkondigen. En nu is het zover. Het gebeurt zoals God had gezegd: 'Hij was het die onze ziekten wegnam en onze kwalen op zich heeft genomen.' Wat een vreugde die dag in het huis van Petrus. Eerst de schoonmoeder van Petrus genezen en 's avonds vele bezetenen bevrijd en dan nog alle zieken genezen. Vervulling van het woord van God, maar het plan is nog niet voltooid. Wat hier gebeurt is een begin, een teken van wat nog komen gaat. Een bemoediging voor ons die nog in de gebrokenheid moeten leven. Gods plannen, zijn woord, worden straks volkomen vervuld, want inmiddels is alles volbracht en heeft Hij alles weggedragen aan het kruis op Golgota.

Lezen: Matteüs 8:18-22

Volg Mij... (vs. 22)

'Ik wil Jezus volgen!' Dat is mooi! Wat goed, wat fijn! Zeker, zegt de Heer, maar als je Mij wilt volgen, dan niet een beetje maar helemaal! Jezus vraagt ons radicaal te zijn. Geen mitsen en maren. Jezus volgen betekent loslaten, sommige dingen of zelfs mensen loslaten omwille van Jezus. Dat snijdt diep in je hart en je leven. Jezus volgen is nee zeggen tegen jezelf en ja tegen Hem. Volgen betekent ook dat je soms op moeilijke wegen terecht kunt komen. Je komt alleen te staan omdat je Hem volgt en andere keuzes maakt. Het leven van Jezus was niet eenvoudig dus zal het voor mij ook niet altijd eenvoudig zijn. Wil ik dit wel? Ja, dit wil ik. Want als Hij mij zo liefheeft dat Hij zijn leven voor mij gaf, dan zal Hij ook alles geven wat nodig is om Hem te volgen.

Zaterdag 1 februari

Lezen: Ezra 1:1

Hij zette de koning ertoe aan...

Vroeger *profeteerde* Jeremia wat Ezra later *beschrijft*. De Joden komen terug uit de ballingschap! De tempel wordt gerestaureerd! Aan alle lijden komt een eind!

De HERE zet koning Cyrus daartoe aan. Hij wekt de geest van Kores op. De man wás een klein, regionaal koninkje. Láter valt hij omhoog als koning van Perzië. In tien jaar tijd loopt hij zo'n beetje het hele Midden-Oosten onder de voet. 'Iran' valt 'Irak' aan, en wínt!

Is de wereldgeschiedenis een gokautomaat? Dat kun je nét denken! Door alles heen werkt God aan zijn heilstaat!

Eeuwen later zegt Jezus: 'Als dit gebeurt, richt je dan op! Kijk omhoog, want jullie verlossing komt eraan!' Het Beloofde Land, de hemel op aarde, is vlakbij...

Zondag 2 februari

Lezen: Ezra 1:2

Hij heeft mij opgedragen om voor Hem een tempel te bouwen...

Zo machtig is God. Heer van de heren, Koning van de koningen. Van Hem krijgt Cyrus een hersenspoeling. Niet dat deze sjah-ayatollah opeens een vroom mannetje wordt. In Babel vereert hij de god van Babel, in Jeruzalem de God die in Jeruzalem woont. Maar díe geeft hem een por in z'n zij: 'Hup jij – aan het werk, voor Mij.' Jesaja noemt Cyrus zelfs... Gods *messias*! Een heidense koning die Gods reddingsplan realiseert.

Het journaal van acht uur maakt je dat niet wijs – de bijbel wél. Mensen, hoe machtig en slim ook, zijn en blijven mensen. Goedschiks of kwaadschiks moeten ze meewerken aan de plannen van de grote Baas. De grote machthebbers zijn de kleine loopjongens van God.

Maandag 3 februari

Lezen: Ezra 1:3

...om er de tempel van de HEER weer op te bouwen...

Cyrus' woord *gaat* uit, Gods woord *komt* uit! De koning spant God voor zijn karretje, maar God bindt de koning achter zijn zegewagen!

God spint garen bij de geschiedenis. Nieuwe kleren: de patronen daarvoor worden nu al gesneden.

'Ik maak alle dingen nieuw', zegt God. De grote Eufraat zal opdrogen, het grote Babylon zal vallen. Jeruzalem-Nieuwstad glooit neer, bij God vandaan. Daar is geen tempel meer: God zelf is haar tempel en het Lam. De hemel verheugt zich. De aarde juicht. De zee bruist. Het veld verblijdt zich. Alle bomen jubelen. De vogels laten hun lied horen. Alle dieren eren God. De sterren juichen. En de mensen loven hun Heer.

Dinsdag 4 februari

Lezen: Ezra 1:4

Allen die hier nog als vreemdeling verblijven...

'Ieder die overgebleven is' - zelfs in zijn woordgebruik is Cyrus geannexeerd door de heilige Geest.

Overgebleven - de profeten hebben het over 'het overblijfsel, de rest'. Jesaja gaf zijn zoontje de naam *Rest-retour*! Daar ben je als kind mee gezegend! 'Rest-retour, binnenkomen, eten!' Ja, hier wáren de Joden mee gezegend! Een overblijfsel komt terug uit de ballingschap, betekent die naam. Er komt een nieuw volk, een nieuwe mensheid...

Tegen zijn eigen bedoelingen in was Cyrus dus een geïnspireerd spreker! Ongelovigen zeggen soms verrassend bijbelse dingen. Tegen wil en dank spreken ze woorden van God. Zo verging het ook Cyrus. De HEER wekte zijn geest op. Opwekking, opstanding, paaslicht, nieuw leven. Cyrus bedoelde het niet zo, maar zo bedoelde God het wél!

Woensdag 5 februari

Lezen: Ezra 1:5-6

De familiehoofden van de stammen Juda en Benjamin... (vs. 5)

Koning Cyrus geeft groen licht voor de herbouw van de tempel in Jeruzalem. Aan dit edict geven de Joden maar op beperkte schaal gehoor. *Eén*: alleen de familiehoofden van Juda en Benjamin; van de overige tien stammen niemand. *Twee*: alleen de mensen die God had wakker geschud, doen mee. Een kleine rest slechts gaat retour!

De meesten vinden het wel best. 'We boeren goed in de ballingschap. Huis, tuin, keuken, ontspanning, comfort, inkomen. Het zekere heden moet je niet inruilen tegen een onzekere toekomst! Die sprong in het duister, daar doen wij niet aan mee!'

Toch gaat een kleine groep op weg. Op naar Jeruzalem. Op naar de tempel. Op naar de toekomst. De Messias komt, en met Hem zijn Vrederijk!

Donderdag 6 februari

Lezen: Ezra 1:7-11

...gaf de voorwerpen vrij die uit de tempel van de HEER afkomstig waren... (vs. 7)

Het belangrijkste is niet het *aantal*, maar de *aard* van de dingen die Cyrus teruggeeft. Allemaal voorwerpen voor bij de offerdienst. In Jeruzalem moet *geofferd* worden.

Hierbij denkt Cyrus aan zichzelf, maar God denkt aan wat Hij de mensheid heeft beloofd! Jézus moet komen en zijn leven geven voor velen!

Hoe slim Cyrus (en de moderne mens) ook is, hij heeft niet dóór dat het vroeger net zo ging! Egyptenaars, die van alles en nog wat meegaven aan Israëlieten: als ze maar ophoepelden!

Een voorproefje van hoe het gaat bij de laatste Uittocht, de grote Terugkeer. Dan brengen de koningen hun glans in het nieuwe Jeruzalem - men zal de glans en de glorie van de volken in haar brengen!

Vrijdag 7 februari

Lezen: Ezra 2:1-2

...die zijn teruggekeerd uit de ballingschap... (vs. 1)

De ballingschap hadden de Joden te wijten aan zichzelf. De terugkeer uit de ballingschap was alleen te danken aan God.

Met Cyrus heeft God alles overhoopgehaald voor zijn volk Israël: 'Ga terug naar Jeruzalem, restaureer daar de tempel.' Alle menselijke koninkrijken overhoop ter wille van het koningschap van God.

Op de (christelijke) middelbare school leerden wij vroeger hoe God de geschiedenis van mens en wereld heenleidt naar de komst van Jezus. Dit geeft ook houvast in onze eigen enerverende tijd. Het is het grondpatroon van alles wat er vandaag de dag gebeurt. God leidt 'dier en plant, water en land' en niet te vergeten 'de kroon van de schepping' – de mens – naar de terugkomst van koning Jezus!

Zaterdag 8 februari

Lezen: Nehemia 7:6-7

Hier volgt een lijst... (Ezra 2:1)

'Hè, nee', zeg je misschien. 'Moet dat nu, zo'n saaie lijst met namen?' Kennelijk wel. Hij staat zelfs twee keer in de bijbel – nóg eens in Nehemia. Zouden wij hem dan overslaan?

Zo'n document laat je zien hoe *trouw* God is. Hij wil onze dood niet, Hij wil ons leven. Mensen verstrooien, God brengt bijeen. Mensen deporteren, God brengt terug. Mensen maken kapot, God maakt heel. Drie keer Josua: *Jezus*!

Jozua de Eerste, leidde Israël Kanaän binnen.

Jesua de Tweede, bracht Joden terug naar het Beloofde Land. Jezus de Derde, brengt ons naar de hemel op aarde!

Er is geen andere naam onder de hemel aan de mensen gegeven om behouden te worden, dan deze: Jezus, Redder van de wereld.

Zondag 9 februari

Lezen: Ezra 2:1-2

...Zerubbabel, Jesua ... Israëlitische mannen... (vs. 2)

In die 'saaie lijst' staat ook: *Zerubbabel* – ballingschaps-kind, máár erfprins! Prins en priester brengen de ballingen terug naar het Beloofde Land. In Jezus komen die twee taken bij elkaar, zoals Eufraat en Tigris samenvloeien in de Sjatt-al-Arab.

Ezra/Nehemia noemen elf/twaalf *leiders*. Zij representeren het hele volk, de twaalf stammen.

Verder: die *Israëlitische* mannen. Israël – de naam die God aan Jakob gaf. De doe-het-zelver, die met mensen streed en – uiteindelijk – met God. Zo kreeg hij de naam 'Israël'. Alleen aan God had Jakob zijn kracht, zijn zegen te danken. Zó komen de Joden terug uit ballingschap. Als spookrijders gingen ze erin. Als goede weggebruikers komen ze eruit. Hinkend, maar vernieuwd. Op weg naar Jezus. Wát saaie lijst? *Israël!*

Maandag 10 februari

Lezen: Ezra 2:36-43

Priesters... Tempelknechten... (vs. 36, 43)

Behalve priesters, Levieten, poortwachters en tempelknechten zijn ook de Asafs van de partij: de *tempelzangers*. Het kerkkoor, om zo te zeggen: zangers en zangeressen. Gespecialiseerd in de gewijde muziek. En ook andere zangers en speellieden. Ontspanningsmuziek, passend bij mensen onderweg naar Jeruzalem. Onderweg naar de komst én de wederkomst van de Heer. Eens Joden-, eens christenreis naar de eeuwigheid.

Na een laatste bezoek aan een zieke mevrouw zei ik: 'Tot ziens.' Daar was ze niet helemaal tevreden mee. Praten kon ze niet meer, maar met haar vinger omhoog wijzen kon ze wel. 'In Jeruzalem!' voegde ik aan mijn groet toe. Toen was ze gerustgesteld: dáárheen was zij op weg. Eens op de nieuwe aarde zien wij alleen maar wéér.

Dinsdag 11 februari

Lezen: Ezra 2:64-67

...slaven ... ezels. (vs. 65, 67)

Een lange reis: van Babel naar Jeruzalem. Een reis als van Amsterdam naar Wenen, maar dan zonder auto en snelweg! Paarden, muildieren, kamelen, ezels: wat zullen ze die nodig gehad hebben!
Verhoudingsgewijs is het een *kleine* groep ballingen die terugkeert naar de verwoeste tempel.
Jesaja noemde zijn zoon: *Rest*-retour. Een kleine schare die iedereen kan tellen. Hiermee begint God opnieuw. Aan deze dunne draad hangt het leven van de Heiland der wereld. En het bestaan van mens en dier, plant en ding.
Op ditzelfde tempelkavel zegt later diezelfde Wereldheiland: 'Dan zullen de mensen de Mensenzoon zien komen, bekleed met macht en grote luister. Wanneer dat alles gebeurt, richt je dan op, hef je hoofd, want jullie verlossing is nabij!'

Woensdag 12 februari

Lezen: Ezra 2:68

...aankwamen bij de tempel van de HEER in Jeruzalem... (vs. 68)

Met dit stelletje mensen gaat God op weg naar de nieuwe mens Jezus. En naar de grote schare die niemand kan tellen.
'Als ik in een ander gezin geboren was, was ik hindoe geweest. Ik heb toch niet om christelijke ouders gevráágd?' Sterker nog! Je hebt er niet eens om gevraagd dat je *leeft*. Zonder jouw ouders zou jij er niet eens zijn!
Mensen uit Egypte, Edom, Ismaël, Kanaän, Arabië. Heidense krijgsgevangenen, later bij Israël ingelijfd. Denk aan stammoeders van Jezus: Rachab de hoer, Ruth uit Moab! Ze vroegen niet: 'Waarom *moeten* wij terug naar Jeruzalem?' Ze waren dolblij dat ze *mochten*! Op naar de Messias!
Jij hebt niet gevraagd om erbij te horen. Hij vroeg naar jou: zo ben je geboren!

Donderdag 13 februari

Lezen: Ezra 2:68-69

...100 priestergewaden. (vs. 69)

Sommige vertalingen doen alsof het hier gaat over het ondergoed van de priesters – hemdjes en broekjes. In verband met seksuele uitspattingen in heidense tempels vindt de bijbel dit óók belangrijk. Maar híer gaat het over het werktenue van de priester, zijn ambtskleed. Een rok van fijn linnen met ingeweven patroon. Wit, aan één stuk geweven, versierd met figuren. Zo maakte God duidelijk dat Hij leven geeft en geen dood, vreugde en geen verdriet, verlossing en geen ondergang (C. Vonk). Dit is het eerste waar de teruggekeerde ballingen aan hebben gedacht: *het witte werkpak* van hun priesters. Daar kun je de blijde boodschap van afscheppen. Ze gaven hun geld en goed voor Jesua. Hun eigen priester heette zoals *Hij* zou heten: *Jezus*!

Vrijdag 14 februari

Lezen: Ezra 2:70

...vestigden zich in hun eigen steden... (vs. 70)

Gemak dient de mens, maar niet de gelovende mens! De gerepatrieerde Joden kiezen niet de weg van de minste weerstand. Met z'n allen op een kluitje vlak bij Jeruzalem. Makkelijk voor het woon-werkverkeer.
Nee, ze verspreiden zich over de steden van Juda en Benjamin. In een straal van veertig kilometer rond Jeruzalem. Ze stellen zich kwetsbaar op. De vijand zit niet op je te wachten. Op alle manieren word je tegengewerkt.
Maar het erfdeel dat God je heeft gegeven, ga je weer bebouwen en bewerken. Als de Zoon des mensen komt, zal Hij dan het geloof nog vinden in Kanaän? Ook vandaag nog zegt Jezus: 'In de wereld lijd je verdrukking maar houd goede moed: Ik heb de wereld overwonnen!'

Zaterdag 15 februari

Lezen: Exodus 14:19-31

Het water spleet, en zo konden de Israëlieten dwars door de zee gaan, over droog land...
(vs. 21, 22)

De komende veertien dagen besteden we aandacht aan de symbolische betekenis van de zee in de bijbel. Vandaag staan we stil bij een indrukwekkende gebeurtenis. Het volk Israël is bevrijd van het slavenjuk van Egypte en nu op weg naar het Beloofde Land. De farao krijgt echter spijt en zet de achtervolging in. Israël zit nu gevangen, want vóór hen doemt de Rietzee op en achter hen de legers van de farao. Ook nu brengt de HEER bevrijding. Hij zorgt voor een ontsnappingsroute dwars door de zee. Israël gaat eigenlijk 'kopje onder' en komt dan weer 'boven water'. Het water van de zee is als doopwater en markeert een scheiding. Het zet ons apart van de wereld die, evenals de farao met zijn leger, ten ondergang gedoemd is. Daarom geldt: wie gelooft, behoort gedoopt te worden, als teken van Gods trouw en redding.

Zondag 16 februari

Lezen: Leviticus 11:9-12

...mag je eten ... Je mag er niet van eten... (vs. 9, 11)

In zee leven allerlei dieren. De Israëliet mag daar echter niet alles van eten. Alle kleine en grote waterdieren zonder vinnen of schubben gelden als oneetbaar. Dat klinkt ons vreemd in de oren, want tegenwoordig is zo'n beetje alles eetbaar. Waarom geldt voor de Israëliet een beperkt zeebanket? Dat heeft alles te maken met rein en onrein. God wil dat zijn volk leert daartussen onderscheid te maken. Het gaat Hem om de heiliging van het leven. Israël moet zich onderscheiden van de heidense volken. 'Wees heilig, want Ik, de HEER uw God ben heilig.' De voedselvoorschriften zijn een uiting van die levensheiliging. Overigens gaat levensheiliging verder dan alleen de voedselvoorschriften: het komt aan op het naleven van de richtlijnen die God voor het leven gegeven heeft. Zo komt ons leven in de rechte verhouding tot God en onze medemensen.

Lezen: Deuteronomium 30:11-20

Ook zijn ze niet aan de overkant van de zee... (vs. 13)

Wie aan de kustlijn van een willekeurige zee gaat staan, zal niet vaak de overkant kunnen zien. 'De overkant van de zee' lijkt dan op een onoverbrugbare afstand. Toch geldt dat niet voor de geboden van God. Ze liggen niet buiten ons bereik en zijn niet zwaar om te volbrengen. De Thora is dichtbij - 'flessenpost van de overkant'. Niet aangespoeld maar aangereikt. Gods geboden liggen binnen handbereik. Ja, binnen 'hartsbereik'. We mogen ze in ons hart opnemen en ons eigen maken. Dat gaat niet vanzelf, maar met een gebed om de heilige Geest bij een geopende bijbel. Dan ga je ervaren: het Woord van de 'overkant' is dichtbij gekomen. Het zoekt woning in ons hart. God zet er alles op om ons hart te bereiken - en te winnen. Kijk maar naar zijn Zoon, die de wet volkomen heeft vervuld, levend in totale gehoorzaamheid en overgave...

Lezen: 1 Koningen 7:23-26

Verder maakte Chiram de Zee, een bekken van gegoten brons... (vs. 23)

Koning Salomo mag de tempel bouwen. Een imposant bouwwerk. Hij heeft een zekere Chiram in dienst genomen om het brons- en koperwerk te vervaardigen. Vandaag lezen we dat hij 'de Zee' maakt, een bronzen bekken van een kleine drie meter diep en meer dan zeventien meter in omtrek. Het is gevuld met duizenden liters water en wordt gedragen door twaalf manshoge runderen. Nu verkondigt elk voorwerp in de tempel het evangelie. Zo ook deze 'bronzen Zee'. Die was zo groot om ermee aan te geven: zó groot zijn Gods liefde en genade.

Ook de kerk heeft zo'n 'zee': de doopvont. Hierin wordt afgebeeld hoe wij - gereinigd van zonde en dood - mogen opstaan tot een nieuw leven met God. Hij wil ons leven vernieuwen. Ook vandaag!

Woensdag 19 februari

Lezen: Job 11:7-9

...hij is breder dan de zee. (vs. 9)

God is groot in zijn macht en wijsheid. Zijn gedachten en wegen zijn ondoorgrondelijk, breder dan de zee. Help, in deze zee verzinken mijn gedachten! Akkoord, ons denken over God is begrensd. Maar wat heb ik eraan om dit te weten? In het bijbelgedeelte van vandaag is Sofar aan het woord. Hij is op ziekenbezoek bij zijn vriend Job. Sofar denkt wel te weten waarom Job moet lijden. Job is volgens hem te ver gegaan, Job denkt veel te klein van God. Gods geheimenissen zijn breder dan de zee. Toch blijft Job, die zichzelf als rechtvaardig beschouwt, met de vraag zitten waarom nu juist hém rampspoed treft. Misschien herkent u deze worsteling in uw eigen leven. God weet ervan. Hij is in onze twijfel nabij en draagt ons. Dat mag ons nieuwe moed geven.

Donderdag 20 februari

Lezen: Psalm 72:1-8

Moge hij heersen van zee tot zee... (vs. 8)

Onze dagtekst is een zinnetje uit het gebed van David voor zijn zoon en opvolger Salomo. Salomo, je hoort er het Hebreeuwse woord shalom - vrede - in doorklinken. Salomo erfde vrede. Hij beschermde het land met zijn leger en zijn forten. De psalm is een gebed tot God om hemelse bijstand voor de koning. Het is opvallend dat hierbij niet alleen aan eigen land en eigen volk wordt gedacht, maar dat hij tot zegen voor alle volken en heel de wereld mag zijn. Moge hij heersen van zee tot zee!
Was het maar zover. Salomo bleek niet de koning die de wereld vrede bracht. Hij bleek niet in alles een modelkoning. Davids en ons gebed om vrede en gerechtigheid 'van zee tot zee' is een gebed om Gods heerschappij. Moge spoedig zijn koninkrijk van vrede en gerechtigheid doorbreken in deze wereld.

Vrijdag 21 februari

Lezen: Prediker 1:7-11

Alle rivieren stromen naar de zee, toch raakt de zee niet vol. (vs. 7)

Welk principe wil Prediker duidelijk maken met deze constatering? Hij is bezig om het thema van zijn boek te introduceren: alles is leegte. Alles is aan de vergankelijkheid en vruchteloosheid onderworpen. Alles herhaalt zich eindeloos. Kijk naar de generaties die komen en gaan, kijk naar de zon, de wind en het water. Ze maken zich moe voor niets. We hebben er als mens slechts tijdelijk voordeel van. Prediker overdrijft expres. Niet alles is betrekkelijk. We zitten niet gevangen in de kringloop van het leven. Er zijn dingen die blijvende waarde hebben. Daar wil Prediker met ons naartoe. Heb eerbied voor God en onderhoud zijn geboden. Anders gezegd: al wat gedaan wordt uit liefde voor God houdt zijn waarde en blijft eeuwig bestaan. Het is maar dat je het weet!

Zaterdag 22 februari

Lezen: Jesaja 11:1-10

Want kennis van de HEER vervult de aarde, zoals het water de bodem van de zee bedekt. (vs. 9)

Op de zeebodem is geen droog plekje te vinden. Je ontkomt daar niet aan de totaliteit van het water. Het water is allesoverheersend aanwezig. Zo zal in het rijk van de Messias de aarde vervuld zijn met kennis van de Heer. Het effect van zijn regering zal algehele vrede en gerechtigheid zijn. De schepping komt weer op orde. Iedereen kent de Messias en zijn heilzame regering zal wereldwijd worden ervaren - dus niet alleen in Jeruzalem.

Daar waar mensen nu al leven vanuit gelovige gehoorzaamheid in Hem, wordt al iets van dat vrederijk zichtbaar. Eens zal de komst van dat rijk volkomen zijn. Wat kun je daarnaar verlangen! Laten we volhardend bidden voor en meewerken aan de realisatie van zijn koninkrijk.

Zondag 23 februari

Lezen: Jesaja 57:14-21

...als de zee, die nooit rust kent... (vs. 20)

Wie langs de zee loopt en die goed observeert, zal opmerken dat de zee nooit tot rust komt. Ze is altijd in beweging. Ook op windstille dagen. Als kustbewoner maak ik regelmatig een wandeling langs de zee. Altijd is er wel wat aan de vloedlijn te vinden. Vuil van schepen en ook vuil vanuit de zee. Werk van de onrustige golven die het vuil opwoelen.

Zo zijn ook zij die God blijven afwijzen, de goddelozen. Onrustig is hun hart. Zij vinden geen troost en vrede in God. Hun hart is zo onrustig als de zee. Echter, de weg van de godvrezende wordt gekenmerkt door innerlijke rust en vrede met God, ook al kan het flink stormen in het leven. Het wonder is dat God zelf die rust bereid heeft. Hem ging en gaat geen zee te hoog om ons zondig en onrustig hart te veranderen. Vertrouw op Hem!

Maandag 24 februari

Lezen: Ezechiël 47:1-12

Als dit water in de Dode Zee aankomt wordt het water daar zoet... (vs. 9)

Het zoutgehalte van de Dode Zee is zesmaal zo hoog als dat van andere zeeën. Er groeit dan ook niets en in het water leeft ook niets. Bovendien ruikt het er niet aangenaam. 'Dode Zee', een toepasselijke naam. Deze Dode Zee werd een teken van het volk Israël. Teken van zijn vruchteloosheid te midden van de volken. Van de hoge roeping en de heilige taak bleef weinig meer over. En geldt dit ook niet voor de kerk in ons land, waar het ene na het andere kerkgebouw gesloten wordt vanwege afnemend ledental? Toch gebeurden er in Israël en gebeuren er onder ons wel degelijk wonderen. Door de kracht van de heilige Geest. Waar dood was, komt leven. Zoals in het visioen van Ezechiël. Wanneer het water vanuit de tempel de Dode Zee bereikt, wordt die zee zoet. Zo werkt Gods Geest nog steeds. En op een dag zal er zelfs geen dood meer zijn.

Dinsdag 25 februari

Lezen: Jakobus 1:5-8

Wie twijfelt is als een golf in zee... (vs. 6)

Eergisteren stonden we stil bij de rusteloosheid van de zee. Altijd is er golfslag. Vandaag zoomen we in op de golven: Jakobus schrijft dat wie twijfelt, is als een golf in zee. Golven zijn onderworpen aan de krachten van de wind, de zwaartekracht en het getij. Zo zijn er ook krachten in ons leven die ervoor kunnen zorgen dat we gaan twijfelen aan God. De wereld, Satan en wat er aan zonde leeft in ons hart, oefenen kracht op ons uit. Twijfel veroorzaakt net zo'n onrustig gevoel als de rusteloze golven die op en neer gegooid worden. Twijfel springt voortdurend heen en weer tussen eigen gevoelens, wereldse ideeën en Gods geboden. Wat is de remedie tegen twijfel? Vertrouwen! Vraag in geloof of God jouw verlangens op één lijn zal brengen met zijn doel. Zo raak je volledig toegewijd aan de betrouwbare weg die God wijst.

Woensdag 26 februari

Lezen: Openbaring 4:1-6

Ook lag er voor de troon iets als een zee van glas... (vs. 6)

Een zee van glas, helder als kristal. Een gladde en doorzichtige zee dus, tegenbeeld van de onrustige en vuile zee zoals wij die kennen.
Openbaring is als troostboek bedoeld. Ondanks alle verdrukking, vervolging en onrust in de wereldzee, is daar het visioen van de glazen zee waaruit de gelovigen troost kunnen putten. Wie volhardt in geloof zal niet ten onder gaan!
In Openbaring 15 staan de overwinnaars aan de glazen zee. Zoals Israël eens door de Rode Zee trok en gered werd, zo zullen ook allen die in geloof volharden gered worden. Egypte verdronk erin, maar Israël werd droogvoets door de Rode Zee geleid. De Rode Zee is een vóórafschaduwing van de glazen zee. Wie gelooft in Jezus Christus weet zeker: we kunnen niet ten onder gaan. Daar is een overwinningslied tot eer van God en van het Lam heel treffend!

Donderdag 27 februari

Lezen: Openbaring 20:11-15

De zee stond de doden die ze in zich had af... (vs. 13)

In mijn woonplaats Katwijk staan op de Boulevard twee monumenten die gewijd zijn aan zeelieden die hun thuishaven nooit meer bereikten. Nog altijd staan familie en vrienden regelmatig stil bij hen die hun ontvallen zijn op zee. De zee die zo veel geeft (voedsel en vermaak), heeft een donkere keerzijde. Zij neemt ook. Maar op de grote dag van het oordeel over de mensen zullen zij die allang onvindbaar waren, terugkomen. De zee moet haar doden teruggeven. Zij die in de vergetelheid van het dodenrijk zijn neergedaald, waarover de dood koning leek te zijn, worden 'teruggevorderd'. Het blijkt dat Gods macht ook over die laatste vijand staat. Niemand ontkomt aan Gods oordeel. In dat licht is het niet het belangrijkst waar je sterft, maar of je naam staat opgetekend in het boek des levens. Staat uw naam daar al in?

Vrijdag 28 februari

Lezen: Openbaring 21:1-4

...en de zee is er niet meer. (vs. 1)

De zee is hier het symbool van kwade macht, de zee die scheiding maakt en waaruit het gevaar dreigt, de zee waar ook het beest in 13:1 uit kwam en waar de grote hoer van de stad Babylon op zat (17:15). Bij die 'zee' hoort dus alles wat tot zonde brengt en wat als gevolg van de zonde in deze wereld nog verdriet kan doen. Die zee zal er niet meer zijn!

Dat is het grote verschil met de oude schepping. Toch is er ook een doorgaande lijn. De gehele geschapen kosmos wordt vernieuwd. Het is déze schepping die vernieuwd wordt. Het is dit leven dat vernieuwd wordt. En daarin is geen plaats meer voor kwade machten. Daar is alles vol van Gods aanwezigheid. Daar zullen allen die in dit leven op Jezus vertrouwd hebben op een volkomen wijze genieten van Gods aanwezigheid. Daar zijn 'zeeën van tijd' voor - wat zeg ik? - een eeuwigheid!

Zaterdag 1 maart

Lezen: Matteüs 8:23-27

Wat is dit toch voor iemand...? (vs. 27)

Als de nood het hoogst is... De leerlingen van Jezus hadden beter moeten weten. Ze hadden Jezus toch van heel dichtbij meegemaakt? Ze hadden gezien wat Hij deed en dan toch zo'n paniek. En andere mensen waren stomverbaasd: 'Wat is dit toch voor iemand?' Dat Hij zelfs macht heeft over de wind en de golven en ze het zwijgen oplegt. Waarom verbaasd, terwijl Hij toch zelf gezegd heeft dat voor God niets onmogelijk is en dat Hij, Jezus, alle macht van God, de Vader, heeft gekregen? Toch is het goed om ook nu te weten dat zijn macht nog steeds dezelfde is en dat Jezus ook vandaag rust kan brengen in levens van mensen die het gevoel hebben in noodweer terechtgekomen te zijn. Iedere keer weer kan en wil Jezus stormen tot bedaren brengen en wil Hij vrede en moed geven in de stormen die niet overgaan. Zo is Hij nu eenmaal!

Zondag 2 maart

Lezen: Matteüs 8:28-34

...verzochten ze Hem dringend hun gebied te verlaten. (vs. 34)

Dat niet iedereen blij was met de aanwezigheid en het handelen van Jezus is wel duidelijk. Jezus had oog voor mensen in nood en was dus ook altijd bereid om in te grijpen. Hier waren twee mensen in nood. Ze leefden - en eigenlijk ook weer niet. Ze werden geleefd, maar eigenlijk waren ze dood. Zo dood als de omgeving waar ze waren, een begraafplaats. Deze mensen werden door Jezus als het ware weer tot leven gebracht. Het bleek weer eens dat de macht van God groter is dan de macht van het kwaad. Eind goed, al goed?! Nee, niet helemaal, want het handelen van Jezus had ook gevolgen voor de omgeving van beide mensen. Economische gevolgen: dat doet bij veel mensen altijd extra pijn. En dan moet Hij maar weg, weg uit hun omgeving. En dat terwijl je in Jezus toch een rijkdom vindt die niet te becijferen is.

Maandag 3 maart

Lezen: Matteüs 9:1-8

Wees gerust, uw zonden worden u vergeven. (vs. 2)

Dat is nog eens vastberadenheid! Vier mannen, die samenwerken en alles op alles zetten om één mens, misschien wel een vriend, bij Jezus te brengen. Ze zijn hoopvol gestemd. Als iemand kan helpen, dan is het Jezus. Het moet dan ook een beetje een domper geweest zijn toen Jezus zei: 'Wees gerust, uw zonden worden u vergeven.' Wat heb je daar nu aan als je lichamelijk ziek bent en genezing verlangt? Je zou bijna gaan denken dat de lichamelijke gezondheid van mensen Hem niet ter harte gaat. Natuurlijk wel! Als het maar even kan, zo zegt de bijbel ons, dan laat Hij lammen lopen en blinden zien. Maar die zonde, die kan zo'n verlammende invloed hebben op mensen en daar moeten mensen van bevrijd worden. Dan kan het soms zijn dat je lichaam ziek is, maar je ziel, je geest, toch kerngezond, omdat je zonden vergeven zijn.

Dinsdag 4 maart

Lezen: Matteüs 9:9-13

...zag Hij bij het tolhuis een man... (vs. 9)

Dat Jezus oog voor mensen had, is ook hier weer merkbaar. Hij zag een man zitten en het was geen beste. Om zijn functie en handelwijze werd hij verfoeid. Iemand die in dienst was van de Romeinse overheerser. Met wie je niet om hoorde te gaan. De kritiek op Jezus dat Hij nu juist deze man aansprak en zelfs bij hem de maaltijd ging gebruiken, is vanuit zo'n houding te plaatsen. Maar de mensen die kritiek op het handelen van Jezus hadden, begrepen Hem niet. Voor hen - en ons - maakt Hij het nog eens duidelijk: Jezus is gekomen voor alle mensen. Voor mensen aan de rand van de samenleving. Voor mensen die door anderen angstvallig worden gemeden. Voor mensen die eigenlijk geen recht van leven hebben en zeker geen recht van spreken. Dus twijfel er nooit aan of Jezus ook voor u of jou gekomen is.

Woensdag 5 maart

Lezen: Matteüs 9:14-17

Waarom vasten wij ... en uw leerlingen niet? (vs. 14)

'Je moet met je tijd meegaan.' Een uitdrukking met een wat negatieve klank, die dikwijls gebruikt wordt tegenover mensen die steeds krampachtig blijven vasthouden aan hoe het altijd is geweest. De discipelen van Johannes de Doper, die in de gevangenis was gezet, leken in zo'n kramp te leven. Ze zien dat de discipelen van Jezus anders leven dan zij en kunnen dat niet goed plaatsen. Daarom vragen ze het aan Jezus zelf. Hij antwoordt met een gelijkenis waarin Hij duidelijk wil maken dat met zijn komst Gods koninkrijk is doorgebroken en een nieuwe tijd gekomen. Het wachten, bidden en vasten is voorbij. Jezus de bruidegom! Zijn aanwezigheid is reden tot dank en vreugde. Daarbij past geen somberheid.

Donderdag 6 maart

Lezen: Matteüs 9:18-22

Wees gerust, uw geloof heeft u gered. (vs. 22)

Na jaren tevergeefs zoeken kan de moed je in de schoenen zinken. Mogelijk was dat ook bij de vrouw uit het bijbelgedeelte van vandaag het geval. Maar nu ervaart ze een lichtpunt op haar zoektocht naar genezing: Jezus. Hij kan haar genezen. Het aanraken van zijn bovenkleed is daarvoor genoeg. Wij denken daarbij misschien aan bijgeloof of magie, maar Jezus herkent inderdaad van de vrouw haar geloof. Op dat geloofsvertrouwen spreekt Hij haar aan en stelt Hij haar gerust. Zij is genezen! Bijna als een incident wordt de daad van deze vrouw beschreven. Maar het is bepaald geen incident, hier komt opnieuw aan het licht wie Jezus is. Reddend verscheen Hij, God om ons bewogen.

Vrijdag 7 maart

Lezen: Matteüs 9:23-26

...en ze stond op. (vs. 25)

Opstaan, opstanding: woorden die helemaal passen bij Jezus. Ook de leider van de synagoge heeft op de een of andere manier herkend dat hij in Jezus te maken heeft met de Heer van leven en dood. Dat is wat op zo'n moment als dit, als het onheil zó dichtbij is gekomen, het verschil maakt. Jezus is Heer over dood en leven. Mensen, omstanders spreken over dood. Maar dwars door het pessimisme van de dood heen ziet Jezus leven. Voor deze leider van de synagoge is de dood van zijn dochter niet het laatste... Hij waagt de stap van het geloof in Jezus' macht. En Jezus ontvangt hem met open armen. Trouwens, Hij heeft nooit iemand afgewezen die in nood tot Hem kwam. Dat is kenmerkend voor Hem en zijn liefde voor alle mensen. Toen en nu!

Zaterdag 8 maart

Lezen: Matteüs 9:27-31

Zorg ervoor dat niemand het te weten komt! (vs. 30)

Het is merkwaardig! Is je iets geweldigs overkomen, wordt er gezegd dat je er met niemand over mag praten... Dat overkwam die twee blinde mensen, die door Jezus genezen werden. Iedereen kende hen als blinden en nu konden ze zien. Houd dat maar eens verborgen. Ze hadden jarenlang geïsoleerd geleefd, altijd in het donker en dan plotseling, door een eenvoudige aanraking, veranderde duisternis in licht. Er ging nog wel wat aan vooraf. Jezus vroeg om geloof. De blinde mannen kenden al die wonderen van Jezus alleen maar van horen zeggen, ze hadden het immers nooit kunnen zien... Maar het geloof was er. En dan word je genezen en moet je je mond houden. Dan ga je er natuurlijk toch over praten tegen iedereen die het maar wil horen. En zo verspreidt het nieuws zich toch!

Zondag 9 maart

Lezen: Matteüs 9:32-34

Zoiets hebben we in Israël nog nooit gezien! (vs. 33)

De mensen waren duidelijk onder de indruk van wat ze zagen, maar de meningen over Jezus waren wel verdeeld. Zo gaat het vaak. Eenzelfde gebeurtenis kan zowel positief als negatief beoordeeld worden. Zo ging het hier ook. Het wonder was geschied. Een mens die bezeten was door een demon, en daardoor niet kon spreken, wordt bij Jezus gebracht. Deze drijft de demon uit en de man spreekt. Zoiets had men nog nooit meegemaakt. Men is laaiend enthousiast. Maar niet iedereen, er zijn ook mensen die deze genezing anders duiden. Zij beweren dat Jezus' macht van de vorst der demonen komt, die steeds weer Gods werk verdacht maakt. Schijnbaar weerloos bewerkt Jezus het heil. Daar komt geen geweld aan te pas. Die manier van doen volgt Hij tot op de dag van heden. De christelijke gemeente getuigt van Hem. Neemt u dit getuigenis aan?

Maandag 10 maart

Lezen: Matteüs 9:35-38

...[Jezus] verkondigde het goede nieuws... (vs. 35)

Het goede nieuws is, kort omschreven, dat God de mensen liefheeft. Maar als Jezus dan die mensen aanziet, ziet Hij hun moedeloosheid en wanhoop. Hij ziet ook de hunkering van de mensen. En daar moeten de discipelen wat aan doen. Maar niet op de manier van ongecontroleerd aan de slag gaan om zo veel mogelijk van de 'oogst' binnen te halen. Nee, goed nieuws brengen moet beginnen met gebed. Vraag dus de eigenaar van de oogst of hij arbeiders wil sturen om te oogsten. Het initiatief ligt bij God. En wat het werk van de discipelen van de Heer van alle eeuwen betreft, het begint altijd met gebed. Met bezinning en bezieling. Kijk maar naar de apostelen, vlak voor het pinksterfeest. Ze zaten in een bovenkamer. En wat deden ze? Ze wijdden zich vurig en eensgezind aan het gebed.

Dinsdag 11 maart

Lezen: Matteüs 10:1-15

...verkondig: 'Het koninkrijk van de hemel is nabij.' (vs. 7)

Ze worden nog weleens verkeerd gelezen, deze woorden van Jezus. In plaats van nabij leest men dan bijna. Maar dat is wel wat anders. De opdracht voor de leerlingen van Jezus van alle tijden is: aanzeggen dat het koninkrijk dichtbij is. Soms lijkt het er helemaal niet op. Maar toch, de leerlingen in Jezus' tijd konden het met eigen ogen zien. Er gebeurden geweldige dingen. Zieken werden genezen. Zelfs lammen liepen en blinden konden weer zien.
Dat was toen. Maar nu? Hoewel die dingen nu niet meer zo vaak als toen gebeuren, zijn er toch nog steeds tekenen van het nabije koninkrijk van God. De leerlingen van nu hebben diezelfde opdracht om te getuigen van Jezus. Laat u zich op deze manier betrekken bij Gods koninkrijk? Ook onze daden en woorden kunnen zo verkondiging van Gods toekomst worden!

Woensdag 12 maart - Biddag

Lezen: Matteüs 10:16-23

...scherpzinnig als een slang ... de onschuld van een duif. (vs. 16)

Als Jezus zijn discipelen de wereld in stuurt, geeft Hij hun een aantal raadgevingen mee, waar ze het mee kunnen doen. Zó zal hun houding in de wereld moeten zijn: scherpzinnig en onschuldig. Jezus kent zijn discipelen en Hij weet ook als geen ander wat ze in die wereld tegen zullen komen. Geweld, bedreiging, bedrog zijn zomaar een paar van die dingen. Al die dingen zullen ze moeten herkennen. Voorzichtigheid is dus geboden. Ze zullen steeds weer de situatie goed in het oog moeten houden en zich niet laten afleiden door mooie voorstellingen. Het zijn twee tegenpolen die Jezus noemt. Waakzaamheid, maar daartegenover een teder, liefdevol hart. Het vermogen om te kunnen onderscheiden zonder vooringenomenheid. Onbevangen, maar niet goedgelovig.

Donderdag 13 maart

Lezen: Matteüs 10:24-33

Wees niet bang... (vs. 26, 28, 31)

Het lijkt veel gemakkelijker om maar niet te geloven, dan om wél te geloven. Er komen nogal wat vragen op je af als je gelooft. Als je niet gelooft natuurlijk ook, maar dan kun je er veel onverschilliger mee omgaan en de vragen gewoon naast je neerleggen. Jezus weet maar al te goed van die vragen en problemen waar zijn volgelingen mee te maken krijgen en daarom drukt Hij hun ook op het hart om bij al die dingen toch en vooral te blijven vertrouwen op de Vader, die in de hemel is. Want die God en Vader heeft voortdurend aandacht voor zijn schepping en in het bijzonder voor de kroon van zijn schepping, de mens. En wat die vragen en problemen betreft, het zal steeds blijken dat Gods liefde voor de mens altijd groter is dan een mens zich kan voorstellen.

Vrijdag 14 maart

Lezen: Matteüs 10:34-39

...niet gekomen om vrede te brengen, maar het zwaard. (vs. 34)

Dat kan toch niet waar zijn! Jezus, die wij eren als de Vredevorst, zegt hier letterlijk dat Hij niet gekomen is om vrede te brengen, maar het zwaard. Dat lijkt eerder op verdeeldheid zaaien, dan op eenheid stichten. Zou dat komen doordat mensen een ander beeld bij vrede hebben dan Jezus? Dat is heel goed mogelijk. Als Jezus over vrede spreekt, dan spreekt Hij over shalom. Over het algehele welzijn van de mens en niet over alleen de afwezigheid van oorlog, zoals vrede dikwijls door mensen wordt omschreven. Die shalom komt er inderdaad niet vanzelf. Alleen God kan die tot stand brengen. Hij doet dat door Jezus naar deze aarde te zenden. De persoon van Jezus is als een wig tussen mensen. Alleen door volkomen overgave aan Hem (Jezus spreekt van kruisdragen en navolgen) ervaar je wat werkelijk leven is: shalom, volkomen vrede met God!

Zaterdag 15 maart

Lezen: Matteüs 10:40-11:1

Wie jullie ontvangt ontvangt Mij... (vs. 40)

Ze moeten Jezus vertegenwoordigen en namens Hem zijn boodschap brengen in de wereld. Dat is kort gezegd de opdracht die Jezus zijn leerlingen meegeeft. Nu was het in die tijd zo, dat de bode is als degene die de bode zendt. Zoals je de bode ontvangt, zo ontvang je dus eigenlijk ook de zender van de boodschap. Zo was het dus en zo is het nog. Wie de afgezant van Jezus ontvangt en de boodschap ter harte neemt, ontvangt Jezus zelf. En wie Jezus ontvangt, ontvangt God, de Vader. Het klinkt allemaal heel eenvoudig, maar dat is het natuurlijk niet. Bode van Jezus zijn brengt verantwoordelijkheid met zich mee. Grote verantwoordelijkheid. Je moet zó in de wereld staan, dat anderen in jou iets zien van hoe Jezus is. Anders gezegd: in de leerlingen van Jezus komt Hij steeds weer opnieuw zelf naar mensen toe.

Zondag 16 maart

Lezen: Matteüs 11:2-6

Zeg tegen Johannes wat jullie horen en zien... (vs. 4)

Johannes de Doper was gaan twijfelen. Dat is niet zo verwonderlijk. Hij zat in de gevangenis en hij had waarschijnlijk heel andere verwachtingen van Jezus. Zo is het vaker. Mensen gaan twijfelen, omdat ze dingen die er in deze wereld en in hun persoonlijk leven gebeuren, geen plaats kunnen geven. En dan komt er soms die vraag, een roep, een schreeuw bijna: Bent U het wel of moeten we nog uitzien naar een ander? Heel begrijpelijk. Het antwoord van Jezus komt weer via zijn leerlingen. Vertellen jullie maar wat je ziet en hoort. God gebruikt telkens weer mensen om anderen te vertellen wat Hij ook in deze tijd doet en dat is echt heel veel. Ervaringsdeskundigen genoeg. En gaat het dan soms niet zo als je graag zou willen? Je hoeft je niet onvoorwaardelijk gebonden te voelen, want in Jezus ben je een vrij mens!

Maandag 17 maart

Lezen: Jona 1:1-5

Maak je gereed en ga naar Nineve, die grote stad... (vs. 2)

Jona kennen we allemaal wel van kinderversjes. Dat Jona een profeet was en er een bijbelboek naar hem vernoemd is, weten veel mensen niet meer. Het boek Jona begint met de mededeling: 'Eens richtte de HEER zich tot Jona, de zoon van Amittai.' Hoe de HEER tot Jona sprak, weten we niet, maar wel welke opdracht Hij gaf. Nineve was een grote stad in Assyrië, het huidige Irak. In deze heidense stad werd veel kwaad gedaan. Jona moet naar Nineve om de inwoners te laten weten dat de HEER er genoeg van heeft. In de bijbel is een profeet niet in de eerste plaats iemand die de toekomst voorspelt, maar iemand die een boodschap van de HEER overbrengt. Jona luistert echter niet en gaat de andere kant op, via de Middellandse Zee naar Tarsis in het huidige Turkije. In de bijbel staat dat hij vlucht. Maar is er een plek waar de HEER je niet kan vinden?

Dinsdag 18 maart

Lezen: Jona 1:6-10

Hoe heb je dat kunnen doen? (vs. 10)

Er steekt een hevige storm op tijdens de reis die Jona maakt. De zeelieden worden bang, maar Jona slaapt beneden in het ruim van het schip gewoon door alles heen. De schipper maakt hem wakker en vraagt hem te bidden tot zijn God. Men denkt dat de storm een straf is voor iemand op het schip en het lot wijst Jona aan. Jona biecht op dat Hij ongehoorzaam is geweest aan de opdracht van de HEER. Hoewel de zeelieden Jona's God waarschijnlijk niet kennen zijn ze verbijsterd over wat Jona vertelt. 'Hoe heb je dat kunnen doen?' vragen ze hem. Kennelijk vinden ze het onvoorstelbaar dat je tegen de wil van een god ingaat. Over onze Nederlandse maatschappij wordt gezegd dat deze is gegrondvest op de Joods-christelijke waarden en normen. Maar elke dag gebeuren er dingen die ingaan tegen God. Vragen wij ons weleens af: 'Hoe hebben we dat kunnen doen?'

Woensdag 19 maart

Lezen: Jona 1:11-17

...en de woede van de zee bedaarde. (vs. 15)

'Wat moeten we doen dat de zee ons met rust laat?', vragen de zeelieden aan Jona. De zee is voor hen niet alleen een plas, maar ook - als het zo spookt - een beeld voor chaos en dood. Jona geeft zelf als oplossing: 'Gooi me in de zee.' Daar hebben de mannen moeite mee en wanneer ze uiteindelijk de opdracht van Jona toch uitvoeren, bidden ze dat het hun niet zal worden aangerekend. Daarbij wenden ze zich tot de God van Jona. En zowaar, de woede van de zee bedaart. Kennelijk heeft de HEER, de God van Jona, ook macht over dood en chaos. Eeuwen later spreekt Jezus tegen de storm en het water op het Meer van Galilea. Hij is dan ook de Zoon van de God van Jona. En op de paasmorgen geeft Hij het blijvende bewijs dat Hij macht heeft over de dood. Die macht gebruikt Hij niet alleen voor zichzelf, maar Hij nodigt iedereen uit tot het eeuwig leven.

Donderdag 20 maart

Lezen: Jona 2:1-9

De HEER liet Jona opslokken door een grote vis. (vs. 1)

Nu waren de zeelieden wel gered, maar hoe ging het met Jona? Was de straf voor Jona dan zijn verdrinkingsdood? Nee, want de HEER stuurt een grote vis om Jona te redden. Het is heel bijzonder om in de bijbel te lezen dat Gods liefde en barmhartigheid telkens weer de overhand krijgen over zijn boosheid. Dat geldt voor Jona, maar ook voor het volk Israël en voor ons. Hij geeft de mens telkens weer een nieuwe kans. In de buik van de vis gaat Jona bidden. Wat hij tegen de HEER zegt lijkt wel op een psalm. In zijn nood roept hij om hulp en God geeft die hulp. Jona dankt God er niet alleen voor, maar hij geeft ook aan dat hij zijn beloften aan God nu zal waarmaken. Hij eindigt met: 'Het is de HEER die redt.' Dat was toen, dat is nu.

Vrijdag 21 maart

Lezen: Jona 3

De inwoners van Nineve geloofden God... (vs. 5)

Na drie (!) dagen spuwt de grote vis Jona uit. En opnieuw komt de HEER met een opdracht voor Jona. Nu zegt Hij dat Jona de stad moet aanklagen met de woorden die God hem te zeggen geeft. Profetische woorden dus. En nu gaat Jona wel.

Nineve was een grote stad, je had drie dagen nodig om erdoorheen te trekken. Jona liep een hele dag en waarschuwde de inwoners: 'Nog veertig dagen en dan wordt Nineve weggevaagd!' Er gebeurde weer een wonder. Toen men de boodschap van Jona hoorde, geloofden ze God! Ze erkenden dat ze verkeerd gedaan hadden en beseften dat ze moesten breken met het onrecht en de zonde die Gods toorn over hen had afgeroepen. Wat een geweldige reactie! En Gods antwoord hierop? Hij spaarde Nineve! Is dat reden tot dankbaarheid - of niet?!

Zaterdag 22 maart

Lezen: Jona 4:1-5

U bent een God die genadig is en liefdevol, geduldig en trouw, en tot vergeving bereid. (vs. 2)

Wat een prachtige belijdenis richt Jona hier tot de HEER. Je zou denken dat Jona de HEER dankt voor zijn genade ten aanzien van de mensen van Nineve. Maar nee, Jona spreekt deze woorden uit als een verwijt. Want Jona denkt niet in de eerste plaats aan de HEER of aan de inwoners van Nineve. Jona denkt vooral aan Jona. Hij vond dat Nineve de ondergang had verdiend. Maar hij had eigenlijk altijd al geweten van Gods genade en goedheid en was daarom de eerste keer naar Tarsis gegaan. Jona is zo teleurgesteld en boos dat hij maar liever wil sterven. De HEER vraagt nog of het terecht is dat Jona zo kwaad is. Laten wij ons maar houden aan de belijdenis hierboven in positieve zin. Voor onszelf maar ook voor anderen! God is werkelijk genadig en liefdevol - meer dan wij het zijn.

Zondag 23 maart

Lezen: Jona 4:6-11

...zou Ik dan geen verdriet hebben om Nineve...? (vs. 11)

Jona geeft geen antwoord op Gods vraag of zijn kwaadheid terecht is. Als Jona op een heuvel bij Nineve zit af te wachten hoe het met de stad verder zal gaan, laat God vlak bij Jona een boom groeien. Het is een wonderboom die in de kortste keren zo groot is dat Jona in de schaduw kan zitten. Jona is opgetogen. Maar de volgende dag is boom al weer verdord, ook door ingrijpen van de HEER. Het wordt zo warm dat Jona weer kwaad wordt en liever wil sterven. Opnieuw komt de vraag: 'Is het terecht dat je zo kwaad bent?' Jona denkt van wel. Met dat antwoord rekent God af. Als Jona al verdriet heeft van een eendagsboom die hij niet eens zelf gemaakt heeft, zou God dan geen verdriet hebben over de ondergang van de stad Nineve met zo veel mensen en dieren, die Hij allemaal zelf gemaakt heeft? Gods liefde en genade gelden voor elk schepsel!

Maandag 24 maart

Lezen: Micha 2:1-5

Daarom - dit zegt de HEER: Over dit volk zal Ik onheil brengen... (vs. 3)

Al is Micha ook een profeet, zo bekend als Jona is hij niet. Hij bracht de boodschap van God vooral aan de mensen in de koninkrijken Juda en Israël. Zijn boek begint met een aanklacht van de HEER tegen het onrecht dat Hij ziet bij zijn volk. Grootgrondbezitters die hun macht misbruiken om nog meer land, huizen, mensen en eigendommen toe te voegen aan hun bezit, ten koste van de kleine boeren. De samenleving wordt door dit soort praktijken rechteloos. Maar de HEER komt altijd op voor de zwakken en de machtelozen. Micha moet het volk zeggen dat de HEER hun onheil zal brengen. Te gemakkelijk denken mensen dat God aan hun kant staat en verwachten ze dat God hun doen en laten goedkeurt. Maar zijn heerschappij betekent ook zijn oordeel en straf over alle onrecht en machtsmisbruik. Die heerschappij zal aanbreken - houd daar rekening mee!

Lezen: Micha 4:1-5

Dan zullen zij hun zwaarden omsmeden tot ploegijzers en hun speren tot snoeimessen. (vs. 3)

Tegenover het gebouw van de Verenigde Naties in New York staat een beeld van een man met een hamer in zijn ene hand en in de andere een zwaard dat wordt omgevormd tot een ploeg. Het is een verbeelding van deze tekst uit Micha. Het gaat over het vrederijk. Het Hebreeuwse woord voor vrede, sjalom, is veel meer dan de afwezigheid van oorlog. Sjalom is een toestand waarin iedereen tot zijn recht komt en niet bang hoeft te zijn. Rijkdommen worden eerlijk verdeeld en mensen komen niets tekort. Menselijke instituten zullen nooit in staat zijn om die sjalom te brengen. Sjalom ontstaat daar waar mensen van God willen leren hoe ze moeten handelen. De belofte van God is dat Hij zijn rijk van vrede zal stichten. Daar mogen we naar uitzien. Als wij ons laten onderwijzen door God kunnen we in onze omgeving daar al iets van realiseren.

Lezen: Micha 5:1-5

Uit jou, Betlehem in Efrata ... komt iemand voort die voor Mij over Israël zal heersen. (vs. 1)

Vele eeuwen nadat Micha deze profetie uitsprak, komen wijzen uit het Oosten in Jeruzalem aan om te vragen waar de Koning der Joden geboren is omdat ze zijn ster in het oosten hebben gezien. Herodes is erg geschrokken en roept de schriftgeleerden bij elkaar om te vragen waar de Messias geboren zou worden. De schriftgeleerden citeren dan deze tekst uit Micha. Verschillende profeten hebben laten weten dat God een verlosser zou sturen. Ook Micha geeft die boodschap door. Hij beschrijft deze verlosser als een herder, iemand die zorg heeft voor het volk van God. Veel van de leiders van het volk waren geen herders, daar waarschuwden de profeten voor. Maar het Kind dat geboren wordt in Betlehem is de Goede Herder. Hij gaf zijn leven voor zijn schapen. Ook voor ons, want Hij kwam niet alleen voor Israël, maar voor de hele wereld.

Donderdag 27 maart

Lezen: Micha 5:9-14

Ik zal je steden in je land verwoesten... (vs. 10)

Het bijbelgedeelte van vandaag is geen vrolijke tekst. De HEER laat Micha zijn toorn verwoorden. Want God is liefde en rechtvaardig. Als dat kwaad er dan ook nog op gericht is om het zijn volk moeilijk te maken, ziet het er niet best uit voor degenen die aan dat kwaad vorm geven. Alles waarmee deze mensen macht uitoefenen wordt vernietigd: paarden, strijdwagens, steden en vestingen. Maar ook alles wat strijdig is met de dienst aan de HEER gaat te gronde: afgoden, beelden, totems en tempels, het wordt allemaal vernietigd. Is dit ook een boodschap voor onze tijd? Misschien moeten we ons eens bezinnen op de afgoden van deze tijd. Wat is voor ons het allerbelangrijkst? Brengen die dingen ons dichter bij God of juist bij Hem vandaan?

Vrijdag 28 maart

Lezen: Micha 6:3-8

Er is jou, mens, gezegd wat goed is, je weet wat de HEER van je wil... (vs. 8)

Sommige mensen denken dat geloven en God dienen iets heel moeilijks is. Je moet er veel voor laten en doen en het kost veel inspanning. En dan nog doe je het eigenlijk nooit goed. Namens God laat Micha nog eens weten wat Hij voor zijn volk heeft gedaan. Als het volk inziet dat het God heeft teleurgesteld, vraagt men zich af met welke offers men het weer goed kan maken. Daarop vat Micha samen waar het ten diepste om gaat in het dienen van God. We hebben het hierboven gelezen en dat is nog net zo actueel als in de tijd van Micha. Het gaat om rechtvaardigheid, trouw aan God en mensen en doen wat God wil. Jezus heeft dat laatste samengevat in de woorden: God liefhebben met heel je hart en de naaste als jezelf. Hij heeft het ons voorgedaan. Het is het leven naar Gods diepste bedoeling.

Zaterdag 29 maart

Lezen: Micha 7:1-6

Zij die trouw waren zijn verdwenen uit het land... (vs. 2)

Sommige mensen denken dat er over een aantal jaren geen kerk meer is in Nederland. Ze kijken naar de statistieken en zien dat er vanaf de jaren vijftig een neerdalende trend is in kerkbezoek, lidmaatschap van de kerk en het aannemen van de geloofswaarheden die vroeger zo duidelijk leken te zijn. Laten we niet denken dat dit een situatie is die nooit eerder aan de orde is geweest. Kijk maar naar Micha: ondanks alle inspanningen heeft hij niets bereikt. Hij heeft gewaarschuwd voor het kwaad en de toorn van God. Hij heeft de liefde van God gepredikt, samen met zijn beloften voor de toekomst. Maar het volk verandert zijn gedrag niet op de manier zoals we dat gisteren hebben gelezen. Nog eens laat hij weten dat het zo niet goed kan gaan. Dat geldt ook voor Nederland in 2014. Het gaat mis als er geen recht, trouw en geloof meer wordt gevonden.

Zondag 30 maart

Lezen: Micha 7:7-13

Maar ik, ik blijf uitzien naar de HEER, ik blijf hopen op de God die mij redding zal brengen. (vs. 7)

Wat doe je als je moet constateren dat het niet goed gaat? De mensen nemen de boodschap van God niet aan en volharden in gedrag dat strijdig is met wat God van hen vraagt. Gerechtigheid, trouw en geloof worden nauwelijks gevonden en aan degenen die zich wel willen laten leiden door God wordt gevraagd: 'Waar is hij dan, de HEER, je God?' God wordt niet serieus genomen en de mensen die Hem willen dienen ook niet. Micha blijft dan toch uitzien naar de HEER. Hij is de enige die redding kan brengen. Want er komt een moment waarop alles zal veranderen. Het kwaad zal worden verslagen, het goede van God zal winnen. Dat besef mag een aansporing zijn voor mensen in een land waar de onverschilligheid ten opzichte van God toeneemt, om trouw te blijven. Ook wil het degenen die leven in landen waar ze om hun geloof vervolgd worden bemoedigen.

Lezen: Micha 7:14-20

Als in de dagen van zijn bevrijding uit Egypte laat ik dit volk wonderbare daden zien.
(vs. 15)

Het boek Micha eindigt met een soort psalm. Hierin wordt de trouw van God bezongen. Ervaringen uit het verleden worden opgehaald. Voor het volk Israël was dat in het bijzonder de uittocht uit Egypte. Wat God toen heeft gedaan kan Hij in het heden en in de toekomst ook doen. Hij zal de zijnen nooit in de steek laten - zelfs niet als zij ontrouw zijn geweest. Gods liefde en barmhartigheid winnen het elke keer van zijn woede. Hij is een God die zonden wil vergeven, zo radicaal dat ze niet meer terug zijn te vinden. Die liefde en trouw gaan al terug tot de tijd van Abraham en Jakob en zijn door de eeuwen dezelfde gebleven. Micha heeft ze nog eens weer verkondigd in zijn tijd. Wij, mensen van de 21e eeuw, hebben dit oude boek mogen lezen in het besef dat de liefde, trouw en barmhartigheid van God ook naar ons uitgaan. Dat is het grootste wonder.

Dinsdag 1 april

Lezen: Matteüs 26:1-5

Niet op het feest... (vs. 5)

Wat een verschil tussen Jezus en de leiders van het Joodse volk. Die leiders vormen samen het sanhedrin. In bepaalde zaken mogen zij rechtspreken. De leden van het sanhedrin zijn godsdienstige, vrome mannen. Zij zien in Jezus, die alleen maar goed deed, een bedreiging. Zij willen Hem oppakken en doden. Maar niet tijdens het pesachfeest. Dan is er zo veel volk in de stad. Bij het volk is Jezus populair. Men zal het niet pikken als Jezus zomaar uit de weg wordt geruimd. Voor rumoer onder het volk zijn de leiders bang. Die vrome mensen toch. Zij rekenen meer met mensen dan met God. Het loopt allemaal heel anders dan de leiders willen. Juist rond het pesachfeest wordt Jezus opgepakt en gedood. Zo wil God het. Als straks het lam geslacht wordt als herinnering aan de uittocht uit Egypte, wordt Jezus, het echte Lam, gedood. Voor ons behoud.

Woensdag 2 april

Lezen: Matteüs 26:6-16

Wat een verspilling! (vs. 8)

Een vrouw met heel veel liefde en respect voor Jezus, zalft zijn hoofd met heel dure olie. Dat wordt haar door de leerlingen niet in dank afgenomen. 'Zonde, dat geld had beter aan de armen besteed kunnen worden.' Jezus neemt het voor de vrouw op. Natuurlijk zijn de armen belangrijk. Zorg voor de armen behoort tot de belangrijkste werken van barmhartigheid. Maar geld uitgeven voor geloofszaken en je idealen mag ook. Jezus ziet de daad van de vrouw als een verwijzing naar zijn sterven.

Judas is een verhaal apart, al denkt hij als de anderen. Zij stellen wel regels voor iedereen, maar houden er zelf een andere moraal op na. Alleen Judas verraadt Jezus voor een zak geld. Maar het is niet alleen Judas zelf die handelt. Wat voorzegd is, moet gebeuren.

Donderdag 3 april

Lezen: Matteüs 26:17-25

Mijn tijd is nabij... (vs. 18)

De nationale feestweek ter herinnering aan de uittocht uit de slavernij van Egypte is aanstaande. De avond eraan voorafgaand eet Jezus met zijn leerlingen het ongedesemde brood en drinkt de wijn. Dan zegt Jezus: 'Mijn tijd is nabij.' Aparte woorden met een bijzondere betekenis. Hij zal voor eens en voor altijd de slavernij van de zonde een halt toeroepen.

Met Pasen gaat het er altijd precies zo aan toe als bij de uittocht uit Egypte, toen het lam geslacht werd en het volk de tocht begon naar het Beloofde Land. Ook nu maken de mensen zich klaar voor de uittocht. En gaan zij uitzien naar het echte Beloofde Land, het Messiaanse rijk, de nieuwe aarde. De tijd van de grote verandering is nabij. Dankzij Jezus, die zich als Lam ter dood zal laten brengen...

Vrijdag 4 april

Lezen: Matteüs 26:26-30

Neem, eet... (vs. 26)

We naderen het hart van het evangelie. Jezus die zijn leven voor ons geeft, voor onze schuld boet, zich weggeeft als een offer, tot vergeving van onze zonden. Want Jezus is gekomen om de mensen te redden van zonden. Hier stelt Jezus het Heilig Avondmaal in. In het breken van het brood en het schenken van de wijn wordt het eind van Jezus' leven in beeld gebracht. Zo geeft Hij zijn leven voor ons. Lucas en Paulus vullen later aan: 'Doe dit, telkens opnieuw, om Mij te gedenken.' Bijna in alle kerken wordt het Avondmaal (of tafel van de Heer) gevierd. Bij de rooms-katholieken in elke mis. Over de betekenis van Jezus' woorden is in de kerken veel strijd geweest. Dat is wel het laatste wat moet gebeuren! Centraal staat dat wij samen met anderen gedenken en ervaren dat de Levende nabij is, en met ons meegaat, totdat wij voor eeuwig bij Hem zijn.

Zaterdag 5 april

Lezen: Matteüs 26:31-35

Al zou ik met U moeten sterven... (vs. 35)

In hoeverre ken ik mijzelf en blijf ik mijzelf? Loop ik makkelijk met anderen mee? Praat ik met anderen mee – in het klagen en het mopperen? Wil ik in een goed blaadje komen bij anderen? Ben ik voldoende trouw in mijn liefde, of laat ik mij eenvoudig meenemen door iemand die mooi praat?

Hoe stabiel en degelijk ben ik? Houd ik de rechte sporen van liefde, geloof en trouw? Of laat ik mij gemakkelijk verleiden en overhalen?

Petrus en de andere leerlingen zijn vol van Jezus. Hij is voor hen de goede herder, de Zoon van God, de Redder. Maar als het erop aankomt, in de nacht waarin Jezus wordt uitgeleverd, laten zij hun beste vriend in de steek. Met een grote mond had Petrus nog beweerd: 'Al zou ik met U moeten sterven...' Wat een zelfoverschatting!

Zondag 6 april

Lezen: Matteüs 26:36-46

...zoals U het wilt. (vs. 42)

In dit gedeelte staat zoveel om te onthouden. Bijvoorbeeld dat Jezus' leerlingen niet in staat zijn één uur wakker te blijven, terwijl hun vriend in doodsangst verkeert. 'Het lichaam is zwak', zegt Jezus. Soms wil een mens wel flink doen en goed zijn, maar het komt er niet van. De Simon (het menselijke) wint het zo vaak van de Petrus (de rots). 'Ga bidden', zegt Jezus. Maar ook de doodsangst van Jezus is het onthouden waard. En hoe Hij met die angst omgaat: intens bidt Hij. Jezus' gebed wordt door God wel gehoord, maar niet verhoord. Maar desondanks: door het gebed hervindt Jezus zich. Versterkt komt Jezus uit het gebed tevoorschijn en fier gaat Hij zijn laatste dag tegemoet.

Jezus' gebed wordt niet verhoord. God wil het anders. Door het offer van zijn Zoon toont God zijn liefde aan u en mij. Zo ver gaat zijn liefde.

Maandag 7 april

Lezen: Matteüs 26:47-50

'Gegroet, Rabbi!' en kuste Hem. (vs. 49)

Als de elf leerlingen hun ogen opendoen, staat Judas al voor Jezus. Een bende, de tempelpolitie, uitgerust met zwaarden en knuppels, vergezelt Judas. Alsof er een zware crimineel opgepakt moet worden! Terwijl Jezus dagelijks onder hen was, vriendelijk, behulpzaam en genezend; niet als een leeuw, maar als een lam. Judas kust Jezus. Zo maakt hij duidelijk wie de bende moet grijpen. Het teken van vriendschap wordt het teken van verraad. De Judaskus. Judas blijkt in plaats van vriend een vijand te zijn. Hoe is Judas zo in de greep van het kwaad terechtgekomen?
Die Judaskus is voor ons herkenbaar. Die stroopkwast? Maar ondertussen. De Engelsen zeggen: honing in de mond, maar gal in het hart.
Desondanks blijft Jezus zichzelf. Vriendelijk en behulpzaam.

Dinsdag 8 april

Lezen: Matteüs 26:51-56

Steek je zwaard terug... (vs. 52)

De laatste levensdagen van Jezus verlopen volgens een vast script. 'Er staat geschreven.' Dat betekent: de profeten hebben voorzegd. God wil het zo. Waarom? We weten het niet. De reactie van de discipelen begrijpen wij wel. Als het spannend wordt, op de vlucht slaan en alleen aan jezelf denken!
Aanvankelijk neemt Petrus het op voor Jezus. Hij trekt zijn zwaard en slaat een tegenstander het oor af. Jezus wijst deze actie af. Bij Hem passen de vergelding en het zwaard niet. Dat zwaard is iets van deze wereld. Jezus is van een andere wereld. Een wereld van niet heersen maar dienen, van liefde en verzoening.
De strijd die we als gelovigen te voeren hebben, is een geestelijke. Een strijd tegen het kwaad, het onrecht, de zonde. De gelovige gaat bidden en goeddoen in plaats van de vuisten te ballen. Hij gaat zijn weg in stil vertrouwen op God.

Lezen: Matteüs 26:57-68

...zeg ons of U de Messias bent, de Zoon van God. (vs. 63)

Wij komen nu bij de kern van het evangelie. Wie is Jezus?
De leiders van het volk willen Hem uit de weg ruimen. Maar wat zijn geldige
redenen voor Jezus' veroordeling? Na enkele valse beschuldigingen vraagt
de hogepriester Jezus op de man af: 'Bent U de Christus, de Zoon van de
levende God?' Jezus antwoordt: 'U zegt het.' Voor de hogepriester staat nu de
schuld vast. Jezus moet gedood worden. Jezus heeft de benamingen Messias
en Zoon van God overigens zelf nooit gebruikt. Jezus presenteerde zichzelf
weliswaar als de Messias, maar dan als een lijdende en dienende. Een heel
andere Messias dan de mensen toen voor ogen hadden. Bij zijn tweede komst
zal Jezus met macht en majesteit verschijnen.
De vraag blijft: wie is Jezus voor mij? De Messias, de Zoon van God?

Lezen: Matteüs 26:69-75

Echt, ik ken de man niet! (vs. 72)

Petrus had als eerste Jezus beleden als Messias en Zoon van God. De vorige
avond zei Petrus Jezus nooit te zullen verlaten. Hij zou nog liever met Jezus
sterven. Maar nu zegt hij Jezus niet te kennen, en dat tot drie keer toe. Zijn
ontkenningen zet hij steeds zwaarder aan.
Herkenbaar? In een kring van spotters ga je gemakkelijk meedoen. Is het
lafheid? Angst?
Het kraaien van een haan doet Petrus beseffen waar hij mee bezig is. Hij
huilt en heeft berouw. Maar door dit verdriet heen beseft hij: Jezus is
betrouwbaar, juist ook als ik het niet ben! Niet alleen Petrus heeft geleden
aan zijn ontkenning van Jezus, Jezus ook. Op het diepst van zijn lijden nemen
zijn vrienden afstand van Hem. Toch zal Petrus later een krachtig getuige
worden van Jezus, de Messias en de Zoon van God.

Vrijdag 11 april

Lezen: Matteüs 27:1, 2

...en leverden Hem over aan Pilatus... (vs. 2)

Jezus wordt geboeid, met zijn handen vast op de rug. Alsof Hij een gevaar is voor de samenleving. Terwijl Hij voorbeeldig leefde en goeddoende door het land trok. Om zijn geloofsovertuiging wordt Jezus door de Joodse rechtbank ter dood veroordeeld. Maar omdat alleen de Romeinen, die in die tijd de baas zijn in Israël, doodsvonnissen mogen voltrekken, wordt Jezus voorgeleid aan Pilatus. Hij oefent namens de Romeinse keizer het gezag over Judea uit. Omdat Pilatus zo'n grote rol heeft gespeeld in Jezus' leven, is hij terechtgekomen in de bekendste christelijke geloofsbelijdenis. 'Die geleden heeft onder Pontius Pilatus.' Pilatus is een wrede heerser. Waarschijnlijk om zijn eigen positie niet in de waagschaal te stellen, geeft Hij Jezus over om gekruisigd te worden. Het menselijk recht beschermt niet; alleen Gods genadig recht brengt heil!

Zaterdag 12 april

Lezen: Matteüs 27:3-10

...vluchtte weg en verhing zich. (vs. 5)

Wat kan een mensenleven dramatisch verlopen. Judas ziet geen uitweg meer en maakt een eind aan zijn leven.
Is Judas in de ban van het geld? Als penningmeester beheert hij de kas. Maar hij neemt er ook voor zichzelf uit. En voor geld verraadt hij zijn 'vriend' Jezus. Judas gaat ten onder aan zijn eigen zonde, ondanks zijn verdriet erover. 'Wie zondigt en onrecht doet is de vijand van zijn eigen bestaan!'
Judas is verantwoordelijk voor zijn eigen daden, maar hij heeft wel alles en iedereen tegen. We lezen voortdurend: de schriften werden vervuld. God wil het zo. En wat Judas betreft: hij is in de macht van het kwaad! Dat wordt zijn ondergang! Heeft ook hij niet de leiders van het volk tegen? 'Zoek het zelf maar uit. Je eigen probleem', zeggen zij. Judas ziet maar één uitweg en ook die keuze heeft hij weer tegen...

Lezen: Matteüs 27:11-14

Hij gaf op geen enkele beschuldiging enig weerwoord... (vs. 14)

De leiders van het volk brengen talloze beschuldigingen tegen Jezus in. Vooral van godsdienstige aard. Veel begrijpt Pilatus hier niet van. Hij is immers geen Jood. Maar als koning zou Jezus een gevaar voor de Romeinse keizer moeten zijn. Dit punt pakt Pilatus op. Hij vraagt Jezus: 'Bent u de koning van de Joden?' Jezus bevestigt dit. Maar uit het gesprek dat hierna volgt (zo lezen we bij Johannes) begrijpt Pilatus dat Jezus' rijk van een andere orde is. Op de beschuldigingen van de Joden zwijgt Jezus. Door te zwijgen doet Jezus ons vooral denken aan de woorden van de profeet Jesaja: als een ooi die stil is bij haar scheerders deed Hij zijn mond niet open. Zoals Jesaja voorspelde, zal Jezus Messias en Koning en Knecht, dienend en lijdend in hun midden zijn. Pilatus komt onder de indruk van Jezus. Wat een mens. Of is Hij ook God?

Maandag 14 april

Lezen: Matteüs 27:15-26

Laat je niet in met die rechtvaardige! (vs. 19)

Pilatus probeert van alles om Jezus vrij te krijgen. Maar de druk van het volk houdt aan. Ook zijn poging om Jezus op een Joodse feestdag vrij te laten, mislukt. Het volk kiest voor Barabbas - een moordenaar! De vrouw van Pilatus is op de hoogte van de problemen van haar man. Zij droomt ervan. Zij waarschuwt haar man zich niet in te laten met 'die rechtvaardige': Jezus. (Zij zou later christin geworden zijn.) Maar ook op haar inbreng reageert Pilatus niet. Hij maakt zich van Jezus af door zijn handen letterlijk in onschuld te wassen. Het volk neemt de verantwoording op zich. Een zelfvervloeking volgt. Moge God ons en onze kinderen doen als... De kruisiging van Jezus is de Joden vaak aangerekend. Velen zagen en zien de bloederige geschiedenis van de Joden als een straf van God. Maar voor allen is het kruis het teken van genade en liefde.

Dinsdag 15 april

Lezen: Matteüs 27:27-31

Gegroet, koning van de Joden... (vs. 29)

Jezus is de dupe geworden van politieke belangen van Pilatus en van gemene jaloezie van de Joodse leiders. Met staatsrecht heeft dit niets te maken. Als Pilatus toestemming geeft om Jezus te doden, gaan de soldaten nog even hun 'feestje' met Jezus vieren. Als een koning wordt Jezus opgetuigd en eer gebracht. Opmerkelijk: net zoals aan het begin van Matteüs' evangelie wordt Jezus hier als 'koning van de Joden' omschreven. En ook nu door mensen van buiten Israël. Toch zeggen juist zij iets wezenlijks over Jezus: Hij is een koning, maar anders dan wereldse koningen: Hij is een koning zonder zichtbare macht! Tegelijk heeft deze uitdossing van Jezus ook iets profetisch. Eens zal Jezus door alle mensen gezien en beleden worden als de Koning van de wereld. Het einde van alle getreiter, mishandeling en haat.

Woensdag 16 april

Lezen: Matteüs 27:32-44

Dit is Jezus, de koning van de Joden. (vs. 37)

Jezus lijkt volkomen machteloos. Haat en spot rondom. Zelfs de twee misdadigers, die eenzelfde vreselijke dood als Jezus moeten ondergaan, doen mee. Niets is meer over van het ontzag dat men eerder voor Jezus had. Op één ding na dan - al klinkt ook dat mee in spot, die Jezus ten deel valt: de beschuldiging tegen Hem, boven zijn hoofd aan het kruis geplaatst. Die beschuldiging is gelijk aan de titel, waarmee eens magiërs uit het Oosten naar Jeruzalem kwamen. Ooit gaven zij deze koning 'goud, wierook en mirre'. Van zulk eerbetoon is nu niets meer te zien. Toch is het gebruik van deze titel juist hier een 'teken aan de wand'! Matteüs laat op deze vreselijke plaats een getuigenis omtrent de ware identiteit van Jezus klinken. Zijn koningschap wordt met het blote oog niet gezien. God vind je steevast dieper dan in de schijnbare werkelijkheid...

Lezen: Matteüs 27:45-56

Hij was werkelijk Gods Zoon. (vs. 54)

Jezus sterft. Duisternis over het hele land, schrijft Matteüs. Alles lijkt - hopeloos - voorbij. Maar Matteüs wijst op dingen die duiden op iets nieuws: het scheuren van het voorhangsel in de tempel, een aardbeving en de opstanding van vele doden. De centurio en de bewakers bij Hem spreken vanuit angst een wonderlijke belijdenis uit: 'Hij was werkelijk Gods Zoon.'
En de volgelingen van Jezus? Zij staan erbij en kijken ernaar, meldt Matteüs. Ze doen niets. Over hun lippen komt geen belijdenis als van de centurio!
Soms blijft de gemeente in verbazing en ontzetting steken - en komt het niet tot een getuigenis. Maar God gaat zijn ongekende gang: Hij zorgt zelf voor een belijdenis - soms zelfs tot beschaming van allen die zich 'volgeling van Jezus' noemen. Maar juist ook deze daad van God geeft hoop aan een bedrukte en angstige gemeente...

Lezen: Matteüs 27:57-61

Josef nam het lichaam mee, wikkelde het in zuiver linnen... (vs. 59)

Ziet hoe dat men met Hem handelt, hoe men Hem in doeken windt... zingen we met Kerst. Nu lezen we vergelijkbare woorden over Jezus. Want ook aan het einde van zijn leven wordt Hij in doeken gewikkeld. Ene Josef uit Arimatea treedt op als zorgdrager voor Jezus. Deze Josef heeft de afweging gemaakt om zijn eigen graf voor zijn gestorven Meester beschikbaar te stellen. En dat niet omdat hij wist *dat het slechts voor enkele dagen zou zijn* - met 'opstanding op de derde dag' rekende niemand van Jezus' volgelingen - maar als eerbetoon. Hoe zwak onze uiting van dank en eerbied naar Jezus ook zijn mag: machtig en groots is de wondere weg die Hij (alleen) gaat tot onze redding!

Lezen: Matteüs 27:62-66

Ze ... beveiligden het graf. (vs. 66)

Opnieuw krijgt Pilatus een merkwaardig verzoek in 'de zaak Jezus'. De verzoeken rond de persoon van Jezus worden eerlijk gezegd steeds gekker. Ondertussen komen ze wel van alom gerespecteerde personen. Eerder was het ene Josef uit Arimatea, nu zijn het de geestelijke leiders van het volk. In hun ogen was Jezus een bedrieger. Maar ook zijn leerlingen achten ze tot alles in staat. Daarom willen deze leiders dat het graf van Jezus bewaakt wordt. Om lijkroof te voorkomen. Zo ver gaat hun strijd tegen Jezus!
Pilatus willigt hun verzoek in. De leugen rond het werk dat God in Jezus doet heeft machtige vrienden. Je komt de waarheid enkel op het spoor door je hart ervoor open te stellen. Wie gelooft u als het erop aankomt? De leugen van lijkroof of het wonder van Jezus' opstanding uit de doden? En op grond waarvan maakt(e) u die keuze?

Lezen: Matteüs 28:1-7

Hij is niet hier, Hij is immers opgestaan. (vs. 6)

'Naar het graf kijken': zo beschrijft Matteüs de liefdevolle maar machteloze daad van de beide Maria's. Hij noemt zelfs niet dat ze op weg waren gegaan om Jezus' lichaam te balsemen (zoals de arts Lucas doet in zijn evangelie).
Maar ook hier wordt duidelijk dat God in zijn goedheid en gerichtheid op ons heil onze zwakheid te hulp komt. Hij zendt een engel, een boodschapper, die geen boodschap heeft aan de bewakers, maar zich richt tot de vrouwen. Hij spreekt hen aan op de wens van hun hart: 'Jullie zoeken Jezus, de gekruisigde. Hij is hier niet.' En de woorden van de engel zijn blijde boodschap en opdracht in één. Het geloof van de vrouwen, wakker geroepen door de woorden van de engel, wordt meteen en heel direct aangesproken. Ze worden tot getuigen van Jezus' opstanding gemaakt en ontvangen daarbij de belofte dat zij Jezus zullen zien!

Lezen: Matteüs 28:8-10

Ontzet en opgetogen verlieten ze haastig het graf... (vs. 8)

Met twee woorden beschrijft Matteüs de reactie van de beide Maria's: ontzet en opgetogen.

Allereerst dus schrik, ontzetting. Op zich te begrijpen: de vrouwen hebben een engel, een boodschapper van de Heer ontmoet bij het graf van hun Vriend en Meester. En dat graf was leeg! Dat is te veel, te groot om rustig bij te blijven. Vandaar hun schrik...

Maar tegelijk is er bij hen ook blijdschap, vreugde! Want ze hebben bericht gekregen dat Jezus leeft! Zo gaan ze op weg.

Als Jezus zelf hen daarbij ontmoet, is het eerste wat Hij zegt: 'Wees niet bang!' Dat alles is tekenend voor ons geloof. Wat ons in de bijbel wordt verkondigd, is te groot om te bevatten. Maar toch wordt het ons gezegd. Telkens klinken daarom ook die woorden: 'Wees niet bang!' Ook vandaag wil God niet dat wij in angst leven: Jezus is opgestaan!

Dinsdag 22 april

Lezen: Matteüs 28:11-15

En tot op de dag van vandaag doet dit verhaal ... de ronde. (vs. 15)

Naast het bericht van Jezus' overwinning op de dood klinkt sinds die wondere paasmorgen in Jeruzalem ook een ander bericht wereldwijd. Ik bedoel het bericht dat het allemaal bedrog is. Ook voor dat bericht zetten mensen zich in! Er wordt vergaderd en er blijkt geld beschikbaar voor dit doel. Het zwijggeld leidt op dat moment tot het gewenste doel. Tegelijk wordt duidelijk dat het andere bericht (dat Jezus leeft) niet geheel verstomt en telkens opnieuw tot klinken komt...

In de ontmoeting met die twee berichten komt aan het licht hoe het in ons binnenste gesteld is! Want: gaan we voor de waarheid van het evangelie - hoe overweldigend en onbegrijpelijk ook - of houden we dat andere bericht voor waar? Dan verklaren we Jezus dood en zijn volgelingen voor bedriegers! Maar wat verliezen we dan? Uiteindelijk alles, het leven zelf!

Lezen: Matteüs 28:16-20

Houd dit voor ogen: Ik ben met jullie... (vs. 20)

Het einde van het evangelie volgens Matteüs is bepaald niet triomfantelijk over Jezus' leerlingen. Pijnlijk nauwkeurig noemt Matteüs hun aantal: elf. Judas is er niet meer bij. En daarbij: de overgebleven elf zijn verre van overtuigd in hun geloof! 'Enkelen twijfelden nog', lazen we.

Hoewel die twijfel niemand weerhouden had naar de berg te komen, komt zelfs door het zien van Jezus geen einde aan die twijfel.

Zo tekent Matteüs de volgelingen van Jezus in deze wereld: ze bewijzen hun Heer eer, gemengd met twijfel. De ultieme zekerheid is niet bij hen te vinden. Die is enkel te vinden bij Jezus zelf!

Hij spreekt van 'alle macht' die Hem gegeven is. En over wat die macht inhoudt voor zijn leerlingen: bij hun wereldwijde opdracht ontvangen ze de belofte van Jezus' nabijheid, altijd en overal - totdat alles tot Gods bestemming is gekomen!

Lezen: Joël 1:1-8

Word wakker, dronkaards, en ween... (vs. 5)

De komende dagen laten we ons aanspreken door woorden van de profeet Joël. Hij leefde in de omgeving van Jeruzalem. Wanneer hij leefde is niet met zekerheid te zeggen. Wel dat het in een tijd was, waarin het volk gebukt ging onder vijandelijke overheersing. De oogst wordt geroofd en diepe armoede en honger dreigen. Tekenend voor Joël is dat hij op grond van die situatie niet oproept tot (al dan niet gewapend) verzet, maar oproept tot het besef van wat gebeurt. 'Word wakker!' Want in Joëls ogen beseffen zijn tijdgenoten totaal niet wat er op het spel staat. Daarom noemt hij hen 'dronkaards'. Hij wil hen tot inkeer brengen. Daartoe gebruikt hij bepaald geen zachtzinnige woorden. Hij beoogt schrik. Joël beseft: enkel wie de trieste werkelijkheid tot zich door laat dringen, staat open voor een nieuw begin...

Vrijdag 25 april

Lezen: Joël 1:9-14

Kondig een vastentijd af... (vs. 14)

Joël gaat verder met zijn betoog: de schaarste aan voedsel betekent ook dat er geen offers meer aan de HEER gebracht (kunnen) worden. Is dat omdat 'het hemd nader dan de rok' is? Of vanwege het feit dat zelfs de keizer zijn recht verliest, als er niets is...? Voor Joël doet zo'n vraagstelling er niet toe! Hij wil dat heel de samenleving beseft wat er werkelijk aan de hand is. Dat men schuldig staat tegenover de HEER!

Daarom moet volgens de profeet een vastentijd worden ingesteld! Is dat geen onzinnige opdracht in een tijd van schaarste en honger? Ik denk het niet: het gaat Joël om het hart van het volk. Geen honger vanwege gebrek, maar vanwege moedwillig afzien van voedsel en drank, om des te meer op God gericht te zijn. In de juiste verhouding tot God de HEER (getekend door vasten en bidden) ligt de weg naar een vreugdevolle toekomst open!

Zaterdag 26 april

Lezen: Joël 1:15-20

O angstwekkende dag! ...de dag van de HEER... (vs. 15)

Joël keert zich met klem tegen een verkeerde gerustheid onder het volk: men verwachtte de dag van de HEER als een dag van bevrijding. Dan zou de HEER de vijanden van Israël vernietigen. Dankzij dat oordeel over Israëls vijanden zou voor het volk van HEER een nieuwe, vreugdevolle tijd aanbreken!

Die geruststellende verwachting boort Joël de grond in. Hij wijst erop dat de ondergang waarmee de HEER, de Ontzagwekkende, dreigt, niet de vijanden van Israël zal treffen, maar zijn eigen volk - als het zich niet bekeert.

De profeet roept Israël op tot bezinning. Maar tegelijk roept hij tot de HEER om ontferming over het volk dat ontrouw is geweest. Hij verheft zich als profeet niet boven het ontrouwe volk, maar hij is in zijn roepen tot de HEER juist bovenmate solidair met het volk. Daarin toont Joël zich een waarachtig profeet!

Lezen: Joël 2:1-2a

Blaas de ramshoorn op de Sion... (vs. 1)

Blazen op de ramshoorn betekent voor Israël tot op de dag van heden het begin van een feest voor de HEER. Maar Joëls oproep om de ramshoorn te blazen heeft een heel andere betekenis! Hij bedoelt het als sirene. Dit noodsignaal moet de bevolking wakker schudden uit de droom dat de dag van de HEER hun verlossing betekent.

Er is geen enkele reden tot gerustheid! Met simpele beelden uit het alledaagse landleven probeert Joël aandacht te krijgen voor zijn boodschap: leven met de HEER, zijn toekomst verwachten, is niet als van een glijbaan af een gelukkige toekomst tegemoet gaan. De HEER vraagt de inzet van zijn mensen voor recht en gerechtigheid. En als het daaraan schort (helaas maar al te vaak!) valt niet zonder meer te rekenen op zijn genade. Goedkope genade bestaat niet! Gezegend de koning die staat voor het recht!

Maandag 28 april

Lezen: Joël 2:2b-11

...de dag van de HEER, wie kan die dag doorstaan? (vs. 11)

Joël roept een schrikbeeld op: het naderen van een geweldig groot en machtig leger! En daarbij: de aarde beeft en de hemel siddert! Geen enkel licht straalt nog - terwijl de grond trilt!

Wat beschrijft Joël met deze dramatische gebeurtenis? Hier nadert niet zomaar een leger: hier nadert de HEER! Hij komt met een ontzagwekkend leger naderbij! Aarde en hemel erkennen Hem in zijn aanspraak op macht, eer en recht. Zon, maan en sterren erkennen de majesteit van deze God, hun Schepper.

Het springende punt voor Joël is ook nu weer de vraag of Israël zich aansluit bij deze uiting van ontzag! Dat is wat de profeet hoopt te bereiken met zijn angstwekkende woorden: dat het volk buigt voor zijn God! Alleen in een houding van ontzag, eerbied en gehoorzaamheid aan de HEER is een heilvolle toekomst te verwachten. Toen - en ook nu!

Dinsdag 29 april

Lezen: Joël 2:12-14

Keer terug tot de HEER, *jullie God, want Hij is genadig en liefdevol... (vs. 13)*

Dit is het woord van de HEER dat Joël door mag geven. De dreiging is niet het laatste woord dat hij namens God spreekt. Want de HEER wil niet de ondergang van zijn volk; van geen enkel mens. Daarom de oproep tot bekering, steeds opnieuw! Een oproep om voor God te leven!

De waarschuwende woorden van Joël gaan niet over een onafwendbaar noodlot, maar zijn bedoeld als laatste, ernstige oproep van de kant van de HEER aan zijn volk: keer terug tot Mij – en leef!

Joël vult die woorden van de HEER aan met een eigen aansporing: misschien herroept Hij zijn vonnis... Joël weet: niet enkel mensen kunnen omkeren van een bepaalde weg. Ook de HEER kan dat! Hij kan het door trouw te blijven aan zijn verkiezende liefde, waarmee Hij telkens weer tot Israël gesproken heeft. Hij kan het door bevrijdend in te grijpen in het lot van zijn volk.

Woensdag 30 april

Lezen: Joël 2:15-17

Waarom zouden zij mogen schimpen: 'En waar is nu hun God?' (vs. 17)

Opnieuw (net als op 27 april) een oproep om op de ramshoorn te blazen. Maar nu niet vanwege van buiten komend gevaar, nu als oproep aan het volk om eensgezind bijeen te komen. Het gaat daarbij bepaald niet om 'zomaar wat gezellig bij elkaar zijn'. Het gaat om een samenkomst van 'gereinigden', waarbij niemand wordt uitgesloten of verontschuldigd: ook het delen van het bruidsbed is geen excuus voor afwezigheid. Iedereen moet zich wijden aan de HEER en de priesters moeten het verzamelde volk voorgaan in gebed. De diepste pleitgrond van hun bede om het volk ('uw volk, HEER') te sparen is de spot en hoon van andere volken. Als Israël ten onder gaat, gaat God zelf ten onder! Dat kan toch nooit Gods bedoeling zijn? Hij laat toch niet op deze manier met zich spotten? Het is toch de diepste wil en drijfveer van de HEER dat elk mens gered wordt?

Donderdag 1 mei

Lezen: Joël 2:18-20

Dan zal de HEER *het opnemen voor zijn land... (vs. 18)*

God kan ver weg lijken in ons bestaan. De omstandigheden spotten met het geloof in een liefdevolle Vader. Toch is dat niet het laatste wat van God te zeggen en te ervaren valt. Ook de profeet Joël weet dat. Daarom kan hij na zijn indringende oproep tot inkeer en boete een duidelijke belofte aan Israël voorhouden: op jullie inkeer zal de HEER antwoorden met redding en bevrijding! God laat geen bidder staan. Hij hoort het roepen van wie in nood verkeert. Israël heeft dat ervaren in de geschiedenis van ballingschap en bevrijding.

In het spoor van Joël mogen ook wij onze situatie beleven in relatie met de HEER. We mogen onze dagelijkse vrijheid beleven als een gave van God. Een geschenk dat verwijst naar Gods grote toekomst, die eenmaal aan zal breken: als wereldwijd Gods vijanden vergaan zijn...

Vrijdag 2 mei

Lezen: Joël 2:21-24

...de HEER *doet grote daden! (vs. 21)*

De profeet zingt van Gods goedheid alsof alle visioenen van bevrijding en heil al realiteit geworden zijn. Met sprekende beelden beschrijft Joël de goede toekomst die God zijn volk zal schenken. Akkers en dieren roept hij op om te getuigen van Gods grote daden. Want als zij gaan jubelen tot Gods eer, zullen Sions kinderen als vanzelf zich mengen in dat koor tot eer van God.

Zo'n manier van spreken en tegelijk ook anderen oproepen om mee te zingen tot Gods eer, is een geweldig waagstuk voor eenieder die met open ogen en oren in het leven staat! Wie durft het aan om te midden van het dagelijks bestaan met al z'n zorgen en vragen te zingen van Gods toekomst?! 'Niet zien en toch geloven' noemen we dat. Zingt u mee?

Durf het aan - op grond van Gods trouw, liefde en macht: Hij staat zelf garant voor wat Hij ooit heeft beloofd!

Zaterdag 3 mei

Lezen: Joël 3:1-5

Dan zal ieder die de naam van de HEER aanroept ontkomen... (vs. 5)

Gods beloften - zo profeteert Joël - gaan verder dan een gelukkig en voorspoedig bestaan in een land van vrede. Ook geestelijk zal het een tijd vol van zegen zijn. De kans is groot dat u bij het lezen van deze profetie gedacht hebt aan het pinksterfeest in Jeruzalem, waarover Lucas schrijft in Handelingen 2. Daar haalt Petrus in zijn toespraak deze woorden van Joël aan om duidelijk te maken wat er gebeurt. Toch is tegelijk duidelijk dat in Petrus' dagen deze woorden niet geheel vervuld zijn: de tekenen van bloed en vuur bleven nog uit; de ontzagwekkende dag van de HEER bleek ook toen nog niet aangebroken. Joëls woorden willen bemoedigen: Israëls God beoogt ontkoming, toevlucht en redding voor eenieder die Hem aanroept! Het is zijn Geest in u en mij die ons tot zulk roepen aanzet! Laat die Geest tot en door u spreken!

Zondag 4 mei - Dodenherdenking

Lezen: Psalm 124:1-5

- Israël, blijf het herhalen - (vs. 1)

Ooit schreef de dichter Leo Vroman: *Kom vanavond met verhalen / hoe de oorlog is verdwenen / en herhaal ze honderd malen / alle malen zal ik wenen...* Ook in psalm 124 gaat het over zulk herhalen. Niet 'slechts' honderdmaal, maar als blijvende opdracht! En dat lijnrecht tegenover de gedachte: je kunt het verleden maar het beste vergeten; richt je op de toekomst! Hoewel die gedachte een kern van waarheid lijkt te bevatten, zegt de dichter het anders in zijn oproep tot gedenken. Hij weet: zonder verwerkt verleden is de toekomst een gapend gat. Enkel wie de eigen standvastigheid als daad van goddelijke trouw en genade erkent - en daarom leeft uit dankbaarheid, staat op de juiste manier in het leven. Die ervaart het leven zelf als wonder, namelijk als een geschenk van God. Als dat niet bevrijdend werkt - wat dan wel?!

Lezen: Psalm 124:6-8

Onze hulp is de naam van de HEER... *(vs. 8)*

Vrijheid is een kostbaar en tegelijk een kwetsbaar iets. We zien het in de wereld om ons heen: veel mensen worden onderdrukt, achtergesteld, gediscrimineerd. Hun is de vrijheid ontnomen. Wij beleven deze dag nationaal als 'bevrijdingsdag'. Men beleefde in 1945 een nieuw begin na vijf bange jaren. Zo wordt elke dag (ook al staan we daar lang niet altijd bij stil) ons een nieuwe dag in vrijheid geschonken!

Dat legt verantwoordelijkheid op ons. Want: hoe vullen we die vrijheid in? Worden we - juist terwijl we voluit van onze vrijheid genieten - niet zelf tot onderdrukkers?!

De psalmdichter wijst een weg: onze hulp is in de naam van de HEER. Wie zich in het leven laat leiden door de naam (dat zijn de reddende daden) van de HEER, wordt vanuit het bijbels getuigenis aangesproken en opgeroepen ook zelf voor recht en vrijheid pal te staan!

Dinsdag 6 mei

Lezen: Joël 4:1-8

De HEER *heeft gesproken. (vs. 8)*

Israël draagt als titel 'volk van God'. Die titel hebben ze niet zelf moeten verdienen. Het is een beschrijving van hun situatie op grond van Gods vrije keuze toen de HEER Abraham riep. In die lijn spreekt Joël in dit bijbelgedeelte. Gods oordeel heeft twee kanten, aldus de profeet. En die hebben allebei met de macht en heerschappij van God te maken. Hij oordeelt in zijn vrijmacht over ieders daden. Dat geldt voor Israël (dat vanwege ontrouw het Beloofde Land verlaten moest), maar het geldt ook voor de volkeren. De HEER oordeelt hen over de manier waarop ze Israël en de HEER zelf ('mijn goud en zilver') bejegend hebben! In de woorden die de profeet mag spreken komt duidelijk naar voren dat Israël als volk van de HEER gezondigd heeft, maar toch zijn volk blijft, waarvoor Hij opkomt in genade en recht! Dat mag ook onze troost zijn!

Woensdag 7 mei

Lezen: Joël 4:9-14

Nabij is de dag van de HEER. (vs. 14)

Onheilspellende woorden zijn het, die de profeet hier spreekt. Ze staan haaks op wat ooit een andere profeet voorzegde over Gods heilrijk ingrijpen als zijn grote dag komt: zwaarden zullen tot ploegmessen worden omgesmeed. Met andere woorden: dan zal de oorlog verdwijnen en zal de aarde in vrede worden bewerkt om vrucht voort te brengen, de volken tot voedsel. Maar nu klinkt het 'te wapen, iedereen!' gericht aan de volken rondom Israël. Tegelijk wordt duidelijk dat gehoorzaamheid aan deze oproep slechts de ondergang van de volken in zal luiden. Nu zal God zijn oordeel vellen over de vijanden van Israël. Dan zal Hij zich betuigen als de God van zijn volk! Omdat zij altijd trouw aan Hem waren? Nee, enkel en alleen omdat Hij trouw bleef aan zijn eens gegeven woord! Deze God is in zijn genade ook onze God! Daarin prijzen we ons gelukkig!

Donderdag 8 mei

Lezen: Joël 4:15-17

...Ik, de HEER, jullie God, woon op de Sion, mijn heilige berg. (vs. 17)

Joël schetst een onheilspellend beeld: wanneer zon, maan en sterren doven, vervalt de wereld in chaos. Dan wordt het weer als 'in het begin': woest en doods... In die duisternis zal God spreken, maar nu niet scheppend en ordenend, maar met een angstaanjagend gebrul! Hij spreekt niet als een goede God die het beste met zijn schepping voorheeft, die wil dat alles 'goed' wordt, maar als een verscheurend roofdier!
Toch is dit beeld bemoedigend voor het volk Israël. De dreiging waarvan sprake is op 'de dag van de HEER' zal angstaanjagend zijn voor de volken, maar niet voor hen!
Het zal de dag zijn waarop God zal tonen dat Hij met volledige inzet HEER van Israël is. Hij biedt bescherming vanuit zijn woning - niet in de hemel, maar op de berg Sion, te midden van zijn volk. God belooft zijn trouw tot heil!
Het is een zegen bij dit Israël te horen!

Vrijdag 9 mei

Lezen: Joël 4:18-21

De HEER woont op de Sion. (vs. 21)

Elk woord kan worden misverstaan of misbruikt. Dat geldt voor mensen-woorden. Het geldt ook voor woorden van God. Wie zijn beloften hoort en opvat als bezittingen en rechten, misbruikt ze. Dat zal uiteindelijk op een diepe teleurstelling uitlopen. Want zo zijn die woorden niet bedoeld! In zijn woorden en beloften spreekt God zichzelf ten diepste uit. Hij betuigt erin zijn liefde en trouw aan zijn volk en zijn wereld.

Wie dan toch Gods woorden als haar of zijn bezit en recht beschouwt zal moeten ontdekken dat zoiets niet anders dan hoogmoed is - die door God ten val gebracht wordt. Zo heeft ooit Israël de ballingschap ervaren...

Ondertussen blijft God trouw aan zijn woord! *De HEER woont op Sion* zegt Joël. Aan die plek heeft Hij zich voor eens en altijd verbonden! Daar spreekt Hij recht en wreekt Hij het kwaad. Dat uitzicht blijft - Goddank!

Zaterdag 10 mei

Lezen: Genesis 33:1-11

...God is mij goedgezind geweest en ik heb meer dan genoeg. (vs. 11)

De komende dagen lezen we uit de levensgeschiedenis van aartsvader Jakob. Hij leidde een bewogen leven: steeds hartstochtelijk op zoek naar goddelijke zegen. Bij die zoektocht schuwde hij leugen en bedrog (!) niet. Maar uiteindelijk leert Jakob dat zo'n zegen echt een gave van God is. Die verdien je niet zelf, die kan enkel ontvangen worden. De zegen wordt immers door God geschonken! Die ontdekking brengt hem na vele jaren opnieuw in contact met de mensen die hij eerder verlaten had - nadat hij hen had bedrogen. Een confrontatie die - in de beleving van Jakob - bepaald niet zonder risico is. Want: wat als zijn bedrogen broer Esau nog steeds kwaad is?

Uiteindelijk blijkt dat Jakob langer met de last van de leugen heeft rondgelopen dan zijn broer Esau.

Zondag 11 mei

Lezen: Genesis 33:12-17

Jakob echter reisde naar Sukkot en bouwde er een huis. (vs. 17)

Is na hun ontmoeting alles weer 'koek en ei' tussen Jakob en Esau? Voor Esau is dat geen vraag: hij wil zijn jongere broer beschermen, voortaan altijd samen optrekken! Maar Jakob denkt daar anders over. Hij noemt diverse bezwaren, die het hem onmogelijk maken om samen verder te trekken. Terwijl Jakobs argumenten op zich geloofwaardig klinken, komt door zijn manier van doen aan het licht dat er nog iets anders meespeelt: hij heeft een heel ander reisdoel voor ogen dan zijn broer. Dat reisdoel heeft alles met zijn verhouding tot God te maken: Jakob wil terugkeren naar het land dat hem door God beloofd is. Hij wil nu en voortaan leven vanuit Gods beloften. Hij is (vanbinnen) werkelijk veranderd! Maar hij durft dat nog niet openlijk uit te spreken... Zwakte? Schaamte? Of is het een teken van zijn op weg zijn in de leerschool van het leven?

Maandag 12 mei

Lezen: Genesis 33:18-20

Hij bouwde daar een altaar... (vs. 20)

Gisteren lazen we dat Jakob in Sukkot een huis bouwde. Dat betekent niet dat hij daar voorgoed wilde blijven wonen. Als herdersvorst was hij een nomade, iemand die rondtrok met zijn kudden. Voor Jakob kwam daar nog zijn persoonlijke trektocht bij: nu is hij – vanuit Sukkot weer verder getrokken – in Sichem aangekomen. Dat betekent dat hij nu weer in 'het Beloofde Land' verkeert. Dat verklaart waarom we nu met nadruk lezen dat Jakob een stuk land koopt en een altaar bouwt. Hij wil de God die hem bewaard en geleid heeft, eren nu hij behouden is aangekomen.

Wanneer Jakob de HEER 'de God van Israël' noemt is dat allereerst een belijdenis van zijn kant, in dankbaarheid uitgesproken: ooit (in een zelf veroorzaakte crisissituatie) had Jakob trouw beloofd aan deze God. Nu keert hij behouden terug. Deze God is zijn eer en dankbaarheid waard!

Dinsdag 13 mei

Lezen: Genesis 35:1-8

God zei tegen Jakob: 'Ga naar Betel.' (vs. 1)

Op verschillende plaatsen in de bijbel lees je dat de aartsvaders een altaar voor de HEER bouwden. Ze deden dat vanuit geloof, dankbaarheid en toewijding. Vandaag lezen we dat ook Jakob zo'n altaar bouwt. Hij doet dat als hij - na jaren - weer is teruggekeerd in zijn vanouds bekende omgeving. Nadrukkelijk wordt vermeld dat Jakob dit altaar niet spontaan bouwt, maar nadat hij een opdracht daartoe van God gekregen had. Dat staat er niet om aan te geven dat Jakob dit onder dwang deed, want dan zou zijn daad zonder betekenis zijn. Het was om duidelijk te maken dat een heel nieuwe periode in zijn leven is aangebroken: niet zijn eigen wil, plan en voordeel staan meer centraal, maar Gods wil. Jakob heeft geleerd niet bij zichzelf te rade te gaan, maar te luisteren naar de wil van God om die te doen! Daarom vervult Jakob Gods opdracht van harte!

Woensdag 14 mei

Lezen: Genesis 35:9-15

Daar, op die plaats, zette Jakob een steen rechtop... (vs. 14)

Wat we vandaag lezen over Jakob is te omschrijven als Gods reactie op Jakobs daad van toewijding. Jakob heeft laten merken in zijn daden dat hij zijn leven op een andere manier dan voorheen wil inrichten. Niet langer wil hij zijn eigen wil en drang volgen, maar steeds weer wil hij zich richten op Gods bedoeling en plan. Daarop laat God hem merken dat Hij blij is met deze wending in Jakobs leven. In duidelijke bewoordingen geeft de HEER aan dat Hij Jakobs leven en toewijding ziet in de lijn van zijn voorouders. De zegeningen en beloften aan hen toegezegd, worden nu ook aan Jakob gericht. De naamsverandering van Jakob in Israël (die ook eerder beschreven staat) wordt met nadruk vermeld: zo is Jakob werkelijk 'Israël' - een mens die zijn kracht zoekt en vindt bij God! Zo'n levenshouding geeft uitzicht op Gods toekomst - ook vandaag!

Donderdag 15 mei

Lezen: Genesis 35:16-20

Zijn vader noemde hem Benjamin. (vs. 18)

Terwijl Jakob als herdersvorst onderweg is, op zoek naar grazige weiden voor zijn kudden, breekt voor Rachel de dag van haar bevalling aan. In de pijn die ze ondergaat, noemt ze haar zoon 'Ben-Oni'. Vaak wordt dat vertaald met 'zoon van mijn ondergang'. De geboorte van dit kind veroorzaakt immers de dood van zijn moeder! Sommige uitleggers kiezen voor een andere betekenis. 'Zoon van mijn kracht' zou Rachel hebben willen zeggen met deze naam. Het ingrijpen van Jakob bij de naamgeving van zijn zoon laat zien hoe belangrijk ook voor hem een goede naam is: Benjamin, 'zoon van mijn rechterhand, van mijn kracht'.
Markante momenten in ons leven zijn steeds momenten om van ons geloof en Godsvertrouwen te getuigen. Zowel geboortekaartjes als overlijdensberichten zijn gelegenheden om te getuigen 'waarop de hoop die in ons leeft gebaseerd is'!

Vrijdag 16 mei

Lezen: Genesis 35:23-29

Hij werd begraven door zijn zonen Esau en Jakob. (vs. 29)

Het lijkt een droge opsomming van namen en feiten, maar bergt toch een diepe waarheid in zich. Jakobs zonen (dochters werden normaliter niet genoemd) worden opgesomd, ditmaal vermeld vanuit hun moeders. Het is goed om op gezette tijden onze zegeningen te tellen. Het leven wordt er niet anders van. Maar wij mogelijk wel!
Ten slotte staat Jakob oog in oog met zijn vader, die hij ooit bedroog - meer dan twintig jaar geleden. Toen meende Isaak dat zijn leven ten einde liep. Alles liep anders dan gepland! Nu - ruim twintig jaren van verdriet en eenzaamheid later - is daar de hereniging met zijn jongste zoon! Een dankbaar moment.
Als Isaak gestorven is en begraven wordt, trekken Jakob en Esau weer even gezamenlijk op: in Isaak verliezen beiden hun vader. Niet enkel als er iets te vieren valt maar ook in tijden van verdriet is familie waardevol!

Zaterdag 17 mei

Lezen: Handelingen 9:1-9

Hij vroeg: 'Wie bent U, Heer?' Het antwoord was: 'Ik ben Jezus, die jij vervolgt.' (vs. 5)

In dit bijbelboek wordt ons verteld hoe het evangelie van Jezus zich van Jeruzalem naar Rome heeft verspreid. Jezus heeft daarvoor mensen ingezet. Wij zouden daarbij zeker niet aan Saulus hebben gedacht: hij bedreigde de leerlingen van de Heer in Jeruzalem en daarbuiten met de dood. Maar Jezus wil deze tegenstander inzetten. Op weg naar Damascus, waar hij leerlingen van Jezus gevangen wil nemen, wordt hij 'gearresteerd'. Jezus roept Hem. En geen mens, zelfs niet een dergelijke vijand als Saulus, kan daar tegenop! Dat is een troostrijke boodschap, ook in een tijd en wereld waarin zich veel vijanden van het evangelie laten zien. Als Jezus hen zou willen gebruiken, is hun tegenstand tevergeefs. Ook ons wil Hij de kracht geven om mensen te winnen voor het evangelie. Geloof dat maar!

Zondag 18 mei

Lezen: Handelingen 9:10-16

Maar de Heer zei: 'Ga, want hij is het instrument dat Ik gekozen heb...' (vs. 15)

Je zult maar zo'n opdracht krijgen: de Heer zendt je naar iemand die de grootste vijand is van het evangelie. Dat is dan ook precies de tegenwerping die Ananias maakt. Maar: hij is toch de man die 'uw heiligen' kwaad heeft aangedaan? Toch gaat de Heer niet in op de tegenargumenten. 'Vertrouw Me nu maar, Ananias, en voer de opdracht uit die Ik je heb gegeven. Ga! Want, beste broeder, deze vijand van het evangelie is het instrument dat Ik gekozen heb. Hij zal mijn naam wereldwijd bekend maken.' Dat is verrassend maar tegelijk ook bemoedigend. Als we staan in dienst van de Heer komt het aan op vertrouwen. Hij wijst de weg, Hij gaat vooraan. En dan is het resultaat alleen maar heilzaam. De Heer kiest zelf zijn instrumenten, u, jou en mij, uit. Toch?

Maandag 19 mei

Lezen: Handelingen 9:17-22

...en ging onmiddellijk in de synagogen verkondigen dat Jezus de Zoon van God is. (vs. 20)

Saulus was een bekende schriftgeleerde: hij had zelfs onderwijs ontvangen van de in die tijd beroemde Gamaliël. Maar toch moet Jezus deze man de ogen openen: eerst geestelijk op weg naar Damascus, en daarna letterlijk op het gebed van Ananias. En dan gaat Saulus naar de synagogen: de plaats waar hij zijn volksgenoten ontmoet. Wat doet hij daar? Vertellen over zijn belevenissen? Wat hem, Saulus, toch wel is overkomen? Nee, hij gaat in de synagoge verkondigen dat Jezus de Zoon van God is. De ontmoeting met Jezus heeft hem radicaal veranderd. Daar is zijn hart vol van geworden. En waar zijn hart vol van is, vloeit in de synagoge zijn mond van over.
Een eerlijke vraag: bent u ook zo vol van Jezus dat u niet over Hem kunt zwijgen? Nou...?

Dinsdag 20 mei

Lezen: Handelingen 9:23-30

Al spoedig beraamden de Joden een plan om hem te vermoorden. (vs. 23)

Het volgen van Jezus brengt soms ook lijden met zich mee, 'omwille van zijn naam'. Dat begint al in Damascus. En als hij stiekem de stad kan verlaten, wordt hij ook in Jeruzalem niet met open armen ontvangen: er heerst om heel begrijpelijke redenen wantrouwen tegen de man die zo tekeergegaan is tegen de leerlingen van de Heer.
Gelukkig treedt Barnabas op als 'bemiddelaar' waardoor Saulus in de kring van de apostelen wordt opgenomen. En ook in Jeruzalem kan hij niet zwijgen: vrijmoedig verkondigt hij daar de naam van de Heer. En ook hier roept dat vijandschap op: er wordt een aanslag op zijn leven beraamd.
Nee, de weg achter Jezus is niet eenvoudig. Maar het is wel de weg waarop Hij met ons meegaat. En dat geeft moed en vertrouwen.

Woensdag 21 mei

Lezen: Handelingen 9:31-35

Petrus zei tegen hem: 'Eneas, Jezus Christus geneest u!' (vs. 34)

Vandaag en morgen lezen we over twee gebeurtenissen die getuigen van de kracht van Jezus. De eerste gebeurtenis speelt zich af in Lydda, gelegen tussen Jeruzalem en Joppe. Als Petrus daar komt bij christenen, treft hij ook Aneas aan, een man die al acht jaar verlamd op bed ligt. Petrus mag hem in de naam van Jezus, de Messias, genezing verkondigen. Jezus Christus geneest u! En dan gebeurt het wonder als teken van Jezus' macht: de man staat onmiddellijk op!
De kracht van Jezus brengt genezing en nieuw leven. Die genezing heeft hier vooral te maken met de verbreiding van het evangelie: velen komen tot bekering en het getal van de leerlingen van Jezus groeit. Zoals ook – door ons getuigenis heen – mensen tot geloof mogen komen. Geweldig!

Donderdag 22 mei

Lezen: Handelingen 9:36-43

Ze opende haar ogen, en toen ze Petrus zag ging ze rechtop zitten. (vs. 40)

Wat een verdriet: Dorcas (Tabita) is gestorven. Dorcas was een leerlinge van Jezus en dat verborg ze niet. In navolging van Jezus was zij er voor anderen, vooral voor minderbedeelden. En nu is ze gestorven... Er wordt met haar gehandeld zoals men gewoon was met overledenen. Maar de gemeenschap om haar heen stuurt een bericht naar Petrus. Als hij gekomen is, gaat hij bij Dorcas in gebed. Dan zegt hij: 'Tabita, sta op.' En Tabita keert terug naar de levenden... Bij de doorbraak van het evangelie is dit gebeuren opnieuw een getuigenis, net als de genezing van Eneas. Het laat zien dat Jezus heerst over levenden en doden. Wij krijgen onze gestorvenen niet op deze manier terug. Maar onze troost is dat zij veilig geborgen zijn in Jezus. Gelooft u dat?

Vrijdag 23 mei

Lezen: Handelingen 10:1-8

De engel antwoordde: 'Je gebeden en aalmoezen zijn door God als offer aanvaard.' (vs. 4)

In het boek Handelingen gaat het om de voortgang van het evangelie: op weg van Jeruzalem naar Rome. In dit nieuwe hoofdstuk wordt een mijlpaal bereikt: nu gaat het evangelie ook naar de heidenen. Concreet: in Caesarea woont een Romeinse hoofdman over honderd soldaten. Hij vereert God, bezoekt de synagoge, is goed voor minderbedeelden en... bidt veelvuldig. Dan verschijnt aan hem een bode van God die hem duidelijk maakt dat God zijn gebeden en aalmoezen als offer heeft aanvaard. Vervolgens moet hij Petrus uit Joppe laten halen. Wat een verrassende boodschap! 'God is getrouw, zijn plannen falen niet!' Hij doorbreekt de grenzen en dat wordt hier zichtbaar in het huis van deze Romeinse hoofdman. Zo wil God op uw gebed ook bij u grenzen doorbreken om u voor Hem te winnen!

Zaterdag 24 mei

Lezen: Handelingen 10:9-16

Wat God rein heeft verklaard, zul jij niet als verwerpelijk beschouwen. (vs. 15)

Wat een schitterende boodschap wordt ons hier gegeven. Als Petrus rond het middaguur op het platte dak van het huis in gebed is, krijgt hij tot drie keer toe hetzelfde visioen. Op een kleed ziet hij allerlei dieren, volgens de Joodse spijswetten reine en onreine. Als Petrus de opdracht krijgt om te slachten en te eten, weigert hij: naar zijn Joodse begrip is het merendeel van deze dieren onrein. Maar dan hoort hij de uitleg: Wat God rein heeft verklaard, zul jij niet als verwerpelijk beschouwen. Zo wordt Petrus voorbereid op de ontmoeting met de knechten van de Romeinse hoofdman. Het heil dat God in Jezus biedt, mag aan Jood en heiden worden verkondigd. Iedereen mag nu bij God horen. Wilt u dat vandaag alstublieft doorgeven aan mensen om u heen?

Zondag 25 mei

Lezen: Handelingen 10:34-43

Deze Jezus is de Heer van alle mensen. (vs. 36)

Het bijbelgedeelte van vandaag beschrijft de ontdekking van Petrus. Hij dacht dat God onderscheid maakte tussen mensen. Daarom was het voor hem een schokkende ervaring dat God hem vroeg aan Cornelius, een Romeinse hoofdman, het evangelie te verkondigen. Nu wordt de grens naar de heidenen overschreden: Cornelius en zijn gezin mogen het goede nieuws van Jezus horen. Niet Petrus doorbreekt die grens, God zelf doet dat. Zijn motief: Jezus is Heer van alle mensen!

Dat is de diepe betekenis van het kruis en de opstanding van de Heer Jezus. Hij heeft de zeggenschap gekregen over alle mensen. Joden én heidenen mogen in Hem redding ontvangen. Ze mogen zich voor Hem buigen en Hem als hun Koning erkennen.

Heel kort door de bocht geformuleerd: daarom leest u deze meditatie: Jezus is Heer! Vertrouwt u zich aan Hem toe?

Maandag 26 mei

Lezen: Handelingen 10:44-48

...zagen vol verbazing dat ook heidenen het geschenk van de heilige Geest ontvingen... (vs. 45)

Wat moet dat een prachtig feest geweest zijn in het huis van de Romein Cornelius. Hij hóórt niet alleen dat de Heer Jezus ook de redder is van zijn leven en dat van zijn gezin; God zélf laat merken dat het zijn werk is. Al de mensen die in zijn huis zijn, de kring rondom Cornelius zeg maar, ontvangen de heilige Geest. Wat op de pinksterdag in Jeruzalem is gebeurd, vindt hier plaats in de kring van de heidenen. God vervult hen met zijn Geest. De komst van de Geest in het huis van Cornelius is een teken dat God ook de heidenen heeft aangenomen! Wat daarop volgt onderstreept dit: allen worden gedoopt als teken dat God ook hen heeft gered. Is dat het niet wat wij elke zondag in de samenkomst horen: Gods genade komt tot ons allen. Toch?

Lezen: Handelingen 11:19-24

Een groot aantal mensen werd voor de Heer gewonnen. (vs. 24)

Het is spannend om te zien hoe de blijde boodschap steeds verder gaat. Zowel onder Joden als onder heidenen komen mensen tot geloof in de Heer Jezus. Dat gebeurt allemaal in de wereldstad Antiochië. Naast Jeruzalem wordt dit het tweede centrum van de volgelingen van Jezus. Hier ontstaat de eerste gemeente uit Joden en heidenen. Twee dingen moet je niet over het hoofd zien: God zegent de verkondiging van de blijde boodschap op een ontroerende manier en de nieuwe gemeente houdt nauw contact met de gemeente in Jeruzalem.

Bijzonder is ook dat Barnabas vanuit Jeruzalem in deze nieuwe gemeente wordt ingezet. Zo groeit in Antiochië langzaam maar zeker de gemeente van de Heer. Tot blijdschap van de werkers: ze verheugen zich over deze goedheid van God. Kijken wij ook zo naar de gemeente van de Heer?

Lezen: Handelingen 11:25-30

De leerlingen besloten dat de broeders en zusters in Judea ondersteund moesten worden. (vs. 29)

Het gaat in het gedeelte van vandaag om wat wij noemen: 'hulpverlening'. Via de profeet Agabus wordt bekend dat er in de toenmalige wereld hongersnood zou komen. De leerlingen van Jezus, die hier trouwens voor het eerst 'christenen' genoemd worden, besluiten in actie te komen. Je kunt de broeders en zusters in Judea geen honger laten lijden. En dus wordt er een inzameling gehouden. En nu moeten we goed opletten: 'Ze droegen ieder naar vermogen bij.' Geen vrijgevigheid dus, maar solidariteit leidt hen. Als leerlingen van Jezus zorg je voor elkaar. Dat is de normaalste zaak van de wereld.

Het is goed dat in gedachten te houden als het gaat om wat wij noemen 'diaconaat': de zorg die je met elkaar neemt voor de minderbedeelden. Naar vermogen.

Lezen: Lucas 24:50-53

Terwijl Hij hen zegende, ging Hij van hen heen... (vs. 51)

Vandaag vieren we de dag van de hemelvaart van onze Heer Jezus. Jezus neemt afscheid van zijn leerlingen. Dat lijkt een verdrietig moment. Maar toch gaan de leerlingen vol blijdschap terug naar Jeruzalem. Hoe kan dat? Het geheim daarvan zijn de zegenende handen van Jezus. Hij geeft zijn leerlingen de zegen. Dat is niets minder dan de toezegging van Gods aanwezigheid in hun leven: met zijn bescherming, genade, vrede, liefde, ontferming, troost, omsluit de Heer heel hun leven. 'Ik ben bij jullie, ga met jullie mee, trek voor jullie uit.' In voorspoed en tegenspoed, bij blijdschap en verdriet, Hij is erbij. Kijk, daar werden de leerlingen blij van. Zoals ook wij, zo veel jaren later, nog steeds mogen leven onder de zegenende handen van Jezus. Halleluja!

Lezen: Handelingen 12:1-5

Jakobus, de broer van Johannes, liet hij met het zwaard ter dood brengen. (vs. 2)

Het lijkt erop dat de voortgang van de blijde boodschap stokt in dit hoofdstuk. Koning Herodes neemt enkele leden van de gemeente gevangen, waaronder Jakobus. Hij wordt geëxecuteerd. En als Herodes merkt dat de Joden hier positief op reageren, laat hij ook Petrus arresteren en in de gevangenis zetten. Hij wil hem na het Pesachfeest berechten.

Het is een verschijnsel van alle eeuwen: waar God zijn plan ten uitvoer brengt, gaat Satan in de tegenaanval. In dit geval kost het Jakobus zijn leven. Of - mag ik schrijven - geeft Jakobus zijn leven in dienst van de Heer.

Ook vandaag nog worden op verschillende plaatsen in de wereld mensen gedood omwille van hun geloof. Wij mogen - vol vuur - voor hen bidden tot God. Doet u mee?

Lezen: Handelingen 12:6-11

Nu weet ik zeker dat de Heer zijn engel heeft gezonden om me uit de hand van Herodes te bevrijden... (vs. 11)

In het slot van het vorige gedeelte hebben we gelezen dat de gemeente vol vuur voor Petrus blijft bidden. En dan blijkt vandaag dat God op dat gebed verrassend ingrijpt. Een engel van de Heer leidt Petrus naar buiten en voor die engel zijn soldaten en muren geen enkele belemmering. Driemaal wendt de engel zich tot Petrus om hem uit zijn slaap te wekken en stap voor stap de weg van de vrijheid in te slaan. En pas als die engel hem heeft verlaten, realiseert Petrus zich dat de Heer hem uit de gevangenis en van de dood heeft gered.

Wat een geweldig bevrijdende boodschap. God redt het leven van Petrus om hem volledig in te zetten voor de verbreiding van de blijde boodschap. Zoals ook vandaag de Heer - op het vurig gebed van de gemeente - wonderen wil doen. Geloof het!

Zondag 1 juni

Lezen: Handelingen 12:12-17

Je bent niet goed wijs... (vs. 15)

Ze zullen het maar tegen je zeggen, terwijl je heel enthousiast bent: 'Je bent niet goed wijs!' Daarmee wordt je dan direct het zwijgen opgelegd.
Vandaag lezen we dat deze woorden gezegd werden tegen Rhode, een dienstmeisje dat naar de deur loopt als er geklopt wordt. Een grote groep gemeenteleden is bij elkaar gekomen om te bidden voor Petrus, die door koning Herodes gevangengenomen is. Als Rhode bij de deur komt, is ze met stomheid geslagen, want ze herkent de stem van Petrus. Petrus? Die zit toch gevangen? Ze rent terug om te zeggen dat Petrus voor de deur staat. 'Je bent niet goed wijs', krijgt ze dan te horen. Hé, vreemd: waren ze niet aan het bidden voor Petrus? En vinden ze het dan vreemd dat God Petrus bevrijdt? Wie is er dan niet goed wijs...? Gaat ons bidden gepaard met het geloof dat God hoort?

Maandag 2 juni

Lezen: Handelingen 12:18-19

Herodes ... gaf bevel [de bewakers] terecht te stellen. (vs. 19)

Als je na een spectaculaire gebeurtenis gaat slapen en dan de volgende dag wakker wordt, kun je soms niet geloven dat het echt gebeurd is. De soldaten van koning Herodes maken het omgekeerde mee. Als ze gaan slapen, zit Petrus nog gewoon gevangen. Maar als ze de volgende morgen wakker worden, weten ze niet wat ze zien: hij is weg! Alles en iedereen is in rep en roer. Herodes nog wel het meest. Herodes houdt alleen rekening met zichzelf en rekent alleen volgens zijn eigen systeem. Met God rekenen komt in zijn leven niet voor. En rekening houden met Gods rechtvaardigheid al helemaal niet. Ja, dan kom je tot ongewone dingen. Rhode geloofde haar eigen ogen niet en de biddende gemeente geloofde haar eigen oren niet. Maar Herodes gelooft blijkbaar zijn eigen soldaten niet en hij straft hen met de dood. Denkt hij zelf als God te kunnen oordelen?

Dinsdag 3 juni

Lezen: Handelingen 12:20-23

Hier spreekt een god, geen mens! (vs. 22)

Het zijn sterke benen die de weelde kunnen dragen. Het is moeilijk voor succesvolle mensen om de realiteit voor ogen te houden. Had koning Herodes dat besef maar gehad. Of beter nog: had Herodes maar meer besef gehad van Gods macht. Herodes kan wel denken dat hij alles kan en mag, maar dan heeft hij nog niet met God gerekend. Als op een dag koning Herodes in zijn koninklijk gewaad klaarzit om de vrede met de steden Tyrus en Sidon te bevestigen, stijgt de overmoed hem naar het hoofd. Hij houdt een toespraak en het volk beantwoordt die met een juichend: 'Hier spreekt geen mens, maar een god!' Herodes laat zich die goddelijke verering heerlijk aanleunen. Dat is zijn valkuil. Alleen God komt alle eer toe. En een mens kan niet ongestraft God van zijn eer beroven. Hoe groot de macht van die mens ook is...

Woensdag 4 juni

Lezen: Handelingen 12:24-25

Het woord van God verspreidde zich en vond steeds meer gehoor. (vs. 24)

Soms lijkt iets weinig opzienbarend, maar bij nadere beschouwing blijkt het groots. Zoals in de twee verzen in het bijbelgedeelte van vandaag. De gemeente groeit en Saulus komt in zicht. Niet veel opzienbarends na de spectaculaire gebeurtenissen van de afgelopen dagen. Maar vergis je niet. Regelmatig schrijft Lucas na het verhalen van gebeurtenissen met ongeveer dezelfde woorden dat het woord van God zich steeds verder verspreidde en steeds meer gehoor vond. De opdracht tot de verkondiging van het goede nieuws wordt uitgevoerd en is op koers. De steeds herhaalde woorden geven altijd weer zicht op de kern van het boek Handelingen: de gang van het evangelie door de wereld. Zo worden we telkens opnieuw bepaald bij het doel van de verkondiging: Jezus bekend maken. Houdt u dat doel ook voor ogen?

Donderdag 5 juni

Lezen: Handelingen 13:1-3

...zei de heilige Geest tegen hen... (vs. 2)

Lucas vertelt dat niet langer alleen vanuit Jeruzalem maar nu ook vanuit Antiochië door de gemeente daar gewerkt wordt aan de verdere verspreiding van het evangelie. In deze gemeente zijn zowel leraren als profeten. We kennen een profeet vooral als degene die het woord van God overbrengt. Ook de nieuwtestamentische gemeenten hebben deze ambten tot hun beschikking. Zoals in Antiochië. Als de gemeente op een dag een gebedsdienst houdt, krijgt ze van de heilige Geest een opdracht. Wellicht bij monde van de profeten. Barnabas en Saulus moeten vrijgemaakt worden voor de taak waartoe ze al eerder door de Geest geroepen waren. Dat had de gemeente begrepen na bidden en vasten. Men legde Barnabas en Saulus de handen op: teken van de gave van de Geest. Zo zijn ze aan hun missie begonnen!

Vrijdag 6 juni

Lezen: Handelingen 13:4-12

...en vervuld van de heilige Geest zei hij... (vs. 9)

Het boek waaruit we al enkele weken lezen heet 'De handelingen van de apostelen'. Het had ook wel 'De handelingen van de heilige Geest' genoemd kunnen worden. Steeds opnieuw is het namelijk de heilige Geest die richting geeft aan het doen en laten van de apostelen. En dat is maar goed ook, want de apostelen komen voor moeilijke situaties te staan.

Barnabas en Paulus zijn na hun uitzending naar Cyprus gegaan en in de stad Pafos worden ze geconfronteerd met de magische kunsten van Elymas, een valse profeet. De proconsul van Pafos wil meer over God horen en laat de twee bij zich roepen. Elymas probeert echter de consul van het geloof af te houden. Twee machten tegenover elkaar. Paulus is vervuld van de heilige Geest en keert zich fel tegen de magiër. Gods macht wordt zichtbaar tegenover Elymas en de proconsul komt door dit alles tot geloof.

Zaterdag 7 juni

Lezen: Handelingen 13:13-25

Broeders, als u voor de mensen een bemoedigend woord hebt, ga dan uw gang. (vs. 15)

Wordt u weleens uitgenodigd om een bemoedigend woord te spreken? Paulus en Barnabas overkomt het de eerste de beste keer dat ze in Antiochië op sabbat naar de synagoge gaan. Dit Antiochië ligt in de Romeinse provincie Galatië, maar er is een grote Joodse gemeenschap. Steeds is de synagoge de eerste plek die Saulus en Barnabas bezoeken als ze in een plaats aankomen. Deze dag vertelt Saulus in de synagoge aan de Joden over de gang van God met zijn volk Israël. Hoe Gods hand ze uit Egypte leidde en naar het Beloofde Land bracht. En hoe uit Davids geslacht God voor zijn volk een redder voortbracht: Jezus! Wat een geweldige kans krijgt en grijpt Saulus hier om zijn geloofsgenoten te vertellen over Gods liefde voor alle mensen in Jezus, de beloofde Redder. En zo klinkt in de synagoge het evangelie van Jezus Christus. Een bemoedigend moment.

Zondag 8 juni - Eerste pinksterdag

Lezen: Handelingen 2:1-13

Toen de dag van het Pinksterfeest aanbrak... (vs. 1)

Eeuwenlang hadden profeten over deze dag verteld. De dag dat God zijn Geest, zijn levensadem, zijn kracht zou geven aan *alle mensen*! De leerlingen van Jezus zijn bij elkaar in Jeruzalem, wachtend op de vervulling van Jezus' belofte. *Kracht, heilige Geest, getuigen,* had Jezus bij zijn hemelvaart gezegd. Maar wanneer en wat en hoe? Ze weten het niet, ze kunnen alleen maar wachten, bidden en vertrouwen. En dit is nu al de tiende dag. Plotseling, een geluid van hevige wind en vuurtongen op ieders hoofd. In één keer worden ze vervuld met de heilige Geest en beginnen ze allemaal te spreken. Verbazing en verbijstering alom. Iedereen, ook elke pelgrim in Jeruzalem, hoort hen in de eigen taal spreken over Gods grote daden. Verbazing en ongeloof - maar het evangelie wordt verteld en gehoord. Wat een dag!

Lezen: Handelingen 2:14-21

Daarop trad Petrus naar voren... (vs. 14)

Soms laten gebeurtenissen zichzelf verklaren, soms vragen ongewone zaken nadrukkelijk om uitleg. En als het gaat om de grote daden van God, dan is naast de zichtbaarheid van Gods handelen zeker ook de duiding daarvan nodig.

De leerlingen getuigen zo vurig van geest over wat God in Jezus Christus heeft gedaan, dat hun toehoorders totaal in verwarring zijn. Daarom is het nodig dat er iemand opstaat en uitleg geeft. Petrus loopt voor die verantwoordelijkheid niet weg en begint te spreken. Onvoorbereid, maar vervuld van de Geest licht Petrus de gebeurtenissen toe. Kort en krachtig: Dit is wat de profeet Joël heeft voorspeld. Dit is de dag dat God zijn Geest uitstort over alle mensen. Nu zal iedereen begrijpen wat God door Jezus heeft gedaan. En iedereen die de naam van Jezus aanroept, zal gered worden. Halleluja!

Dinsdag 10 juni

Lezen: Handelingen 13:26-31

Maar God heeft hem opgewekt uit de dood... (vs. 30)

We vervolgen vandaag de lezing van zaterdag over Paulus' toespraak in de synagoge van Antiochië.

Paulus vertelt hoe de inwoners van Jeruzalem en hun leiders Jezus niet hebben geaccepteerd als de door God beloofde Messias. Integendeel, zij hebben meegewerkt aan zijn terechtstelling, terwijl ze wisten dat Hij onschuldig was. Ze gingen daarmee ook voorbij aan de uitspraken van de profeten, die wél elke sabbat werden voorgelezen. Vreemd, lijkt Paulus te willen zeggen, dat je zo boven op de waarheid zit en er toch aan voorbij kunt gaan. Dat alles leidde tot de dood van Jezus en men legde Hem in een graf. Maar dat is niet het eind van het verhaal, want God wekte Jezus op uit de dood. En de opgestane Heer verscheen aan zijn volgelingen. Zij - en Paulus met hen - getuigen nu van Jezus. Dankzij Jezus weten we: de dood heeft niet het laatste woord!

Lezen: Handelingen 13:32-40

Wij verkondigen u het goede nieuws... (vs. 32)

Paulus legt er in zijn toespraak direct de nadruk op dat de boodschap die hij verkondigt, goed nieuws is. Mochten zijn hoorders in de synagoge van Antiochië een andere indruk krijgen, dan zegt Paulus bij voorbaat al dat ze zich niet moeten vergissen. De waarheid is dat mensen zich wel kunnen vergissen, maar God niet! God houdt zijn woord. De belofte die God aan de voorouders deed, heeft Hij vervuld voor hun kinderen en voor ons, zegt Paulus. God beloofde dat Hij voor altijd vergeving van zonden zou schenken. Voor Paulus is dat gebeurd, toen God Jezus tot leven wekte. Zo werd immers duidelijk: de door God beloofde vrijspraak wordt verkregen door het geloof in Jezus Christus. Wat een goed nieuws! Ook voor u – vandaag!

Lezen: Handelingen 13:41-43

Na afloop van de samenkomst... (vs. 43)

Wat doe jij na afloop van de samenkomst of kerkdienst? Ben je blij dat het er weer opzit? En u? Gauw naar huis en aan de koffie? Misschien zelfs mopperen op de voorganger, omdat de preek weer zo lang duurde?
Nu, zo ging het na afloop van de samenkomst in de synagoge niet. De sprekers werden uitgenodigd om de week erop weer te komen spreken. Was dat nieuwsgierigheid of was er een diep verlangen gewekt naar wat echt belangrijk is in het leven? De mensen konden er blijkbaar geen genoeg van krijgen. Ze liepen met Paulus en Barnabas mee en luisterden opnieuw naar hun verhaal over Jezus.
Terug naar onze samenkomst... Wat heb jij nodig om door deze God aangesproken te worden? En u? Bent u zo vol van het goede nieuws dat u het vertelt aan wie het maar wil horen? Wat zal het de komende zondag vol zijn in de samenkomst!

Lezen: Handelingen 13:44-49

De volgende sabbat kwam bijna de hele stad bijeen... (vs. 44)

We lezen vandaag - in een direct vervolg op het bijbelgedeelte van gisteren - over wat een week later gebeurde in de synagoge: een geweldig grote groep mensen kwam luisteren naar Paulus en Barnabas. De Joodse leiders werden jaloers. Daarom maakten ze de woorden van Paulus verdacht. Wellicht door te ontkennen dat Jezus de beloofde Messias was. Paulus en Barnabas maakten de Joodse leiders onomwonden duidelijk dat zij als eerste Gods boodschap moesten horen, maar omdat ze die afwijzen, gaan Paulus en Barnabas nu naar de heidenen (niet-Joden). En deze heidenen blijken nota bene de boodschap van Paulus met vreugde te aanvaarden! Velen komen tot geloof. En het evangelie vindt zijn weg door de hele streek.

Lezen: Handelingen 13:50-52

Maar zij schudden het stof van hun voeten... (vs. 51)

'Eerst voeten vegen!' Hoe vaak hebben we dat als kind gehoord? Natuurlijk moesten we leren dat we het vuil van buiten niet mee naar binnen namen. Zo waren Joden gewoon als ze door heidens gebied hadden gereisd om het heidense stof van hun voeten te schudden. Een handeling om aan te geven dat zij zich reinigden van heidense invloeden. Hetzelfde gebaar maken Paulus en Barnabas als blijkt dat de Joden in Antiochië hun verzet tegen het evangelie niet staken. Integendeel, ze maken gebruik van de invloed van de notabelen door hen tegen de predikers op te zetten, zodat zij uiteindelijk verdreven worden. De predikers schudden dan het stof van hun voeten; waarmee ze aangeven niets meer met de stad te maken te willen hebben. Tegelijkertijd laten ze ook mensen achter die tot geloof kwamen en daar intens blij over zijn! Lijkt u op hen?

Zondag 15 juni

Lezen: Handelingen 14:1-7

...die de verkondiging van zijn genade kracht bijzette... (vs. 3)

Een week geleden vierden we het feest van de Geest, Pinksteren. Jezus beloofde zijn leerlingen dat zij kracht zouden ontvangen als de heilige Geest over hen was uitgestort.

En hoe was het de apostelen vergaan na hun vertrek uit Antiochië? Kregen zij de moed om ook in Ikonium weer over God te vertellen? Die moed bleek er inderdaad te zijn. Echter ook in Ikonium ontstond er veel tegenstand. Maar Paulus en Barnabas spraken vanuit hun hart over God en vertrouwden Hem volkomen. Zou dat de kracht van de Geest zijn: doen en vertrouwen? Het leek er wel op, want God zegende hun werk door het met wonderen en tekenen te onderstrepen. En toch dwong de tegenstand hen ook om opnieuw verder te trekken. Tegelijkertijd betekent dat weer nieuwe kansen.

Maandag 16 juni

Lezen: Daniël 1:1-8

Daniël was vastbesloten... (vs. 8)

Daniël en zijn vrienden zijn weggehaald uit Jeruzalem, de stad van God; ze moeten voortaan werken in Babel, een land zonder God. Ze mogen carrière maken, maar ze raken veel kwijt. Hun vaderland, hun taal, zelfs hun naam. Daniël betekent: God is mijn rechter. Maar nu wordt hij genoemd naar de Babylonische god Beltesassar. 'Bel bescherme de koning.'

Zo lijkt ons leven op dat van Daniël. Onze koning is God, wij verwachten zijn koninkrijk, daar zijn we burger van. Maar we leven in een wereld die nog niet vrij is en waar dingen strijden met ons geloof. Moeten we ons dan aanpassen? Soms wel, maar niet altijd. Daniël wil rein blijven en geen onreine dingen eten. Daarom durft hij te vragen om een aparte behandeling. Want geloven is niet: gewoon meedoen. God komt op de eerste plaats.

Dinsdag 17 juni

Lezen: Daniël 1:9-17

Neem de proef op de som... (vs. 12)

Had u dat gedurfd? Gewoon ervan uitgaan dat God wel zal helpen wanneer je Hem trouw blijft? Daniël en zijn vrienden zijn geen rebelse types. Ze blijven beleefd. Maar ze weten wat ze wel en niet willen. En als de hoofdeunuch laat merken dat hij bang is voor het resultaat krijgt hij het voorstel om het dan gewoon eens te proberen. U zult zien dat het met Gods hulp beter gaat. En het gaat beter. Ja, want God is er. Je kunt Hem niet zien, maar in het geloof weet je het.

Dat God erbij was wist Daniël. Hij zou zorgen, daar twijfelde de jonge man in Babel niet aan. Dat is kenmerkend voor het geloof: het weet dat God er is en dat Hij je niet in de steek laat wanneer je wilt leven voor Hem. Wist Daniël alles precies? Welnee, maar hij geloofde. Durf het maar aan te doen wat God wil, ook als het moeite kost.

Woensdag 18 juni

Lezen: Daniël 2:1-11

...geen mens ... die aan het verzoek ... kan voldoen... (vs. 10)

Koning Nebukadnessar is geen sukkel en hij heeft natuurlijk zijn magiërs. Die kunnen hem verbinden met de goden, zoals ze beweren. Gisteren zagen we hoe Daniël en zijn vrienden de proef op de som durfden te nemen. Nu doet koning Nebukadnessar hetzelfde met zijn godsdienst, en er breekt paniek uit. Normaal speelt de koning het spelletje met de priesters wel mee; je weet van hooggeplaatsten niet wat ze werkelijk denken. Maar deze droom heeft zo veel indruk gemaakt dat hij absoluut zeker wil zijn van de betekenis. Daarom moet niet alleen de betekenis, maar ook de droom zelf verteld worden. Dat is een garantie dat er werkelijk contact met de goden is geweest.

Je kunt jezelf lang iets laten wijsmaken. Er worden veel godsdienstige spelletjes gespeeld. Maar er komt een moment dat je het echt wilt weten. Dan vallen alle goden door de mand.

Donderdag 19 juni

Lezen: Daniël 2:16-23

Hij onthult diepe, verborgen dingen... (vs. 22)

Daniël heeft contact met God. Niet omdat hij een magiër is, maar omdat God het wil. In een visioen laat God zijn knecht weten wat koning Nebukadnessar heeft gedroomd en wat die droom betekent. En Daniël dankt en prijst God.

Mensen kunnen en weten veel, maar er zijn grenzen. Er zijn veel verborgenheden die je als mens niet kunt weten, tenzij God het openbaart. Dit besef maakt ons afhankelijk en het klinkt als een blijde boodschap dat God 'diepe, verborgen dingen' onthult. Hij houdt ze niet voor zichzelf. Hij is te raadplegen in zijn woord, waar wonderbare dingen in beschreven zijn.

Paulus zou later wijzen op het mysterie van de gekruisigde Christus. De diepte van Gods wijsheid en liefde wordt in Hem openbaar. God is geen mysterieuze God. Hij toont ons het Leven! Hij onthult.

Vrijdag 20 juni

Lezen: Daniël 2:26, 31-35

...zonder dat er een mensenhand aan te pas kwam... (vs. 34)

Koning Nebukadnessar mocht zien in een visioen wat er in de toekomst zou gebeuren. Zijn droom, die door Daniël wordt verteld, heeft wel uitlegging nodig. Het gaat over koninkrijken die in de toekomst zouden komen, in symbolische vorm verteld. Er is één zinnetje dat opvalt: in die toekomst gebeuren ook dingen die niet door mensenhanden in gang worden gezet. God speelt mee – eigenlijk moet je zeggen: Hij regisseert. Dat was een les die de heersers van Babel moesten leren.

Maar wij ook. Want ieder mens denkt na over de toekomst. Wat kan er allemaal gebeuren? In ieder geval houdt God zich ermee bezig. Denk je dat je weet wat er morgen gebeurt? Je vergist je; je zult voor verrassingen komen te staan. Nadenken over de toekomst begint met bidden. Want God stuurt de geschiedenis op de weg naar de grote toekomst.

Zaterdag 21 juni

Lezen: Daniël 2:44-45

...een rijk ... dat nooit te gronde zal gaan... (vs. 44)

We zagen eerder al dat God zich bezighoudt met de geschiedenis en verborgen dingen onthult. Hier is het bijzonder schokkend voor de machtige Nebukadnessar. Zijn koninkrijk zal het uiteindelijk niet redden. Maar er komt een rijk dat God in deze wereld zal brengen. Het zal nooit te gronde gaan. Dat is geweldig nieuws, want de wisseling van de wereldrijken gaat altijd met veel ellende gepaard; oorlog en verval, corruptie en meedogenloosheid. Miljoenen mensen lijden in de strijd. Daar gaat God een einde aan maken. Hij vestigt zijn rijk, en dat is voor eeuwig! Als we eeuwen later de geschiedenis overzien blijkt hoe geweldig het is. Wij worden geroepen om ook burger van dat rijk te worden. Een rijk, niet van mensen maar van God. Door het geloof in God zijn wij burgers van dat rijk en zullen wij nooit te gronde gaan!

Zondag 22 juni

Lezen: Daniël 3:1-12

...ze ... buigen niet... (vs. 12)

Waar Daniël is in deze geschiedenis is onduidelijk. Misschien moest hij in Babel zijn als hoge ambtenaar. Het is een geweldig feest, waar de eenheid van het rijk en de glorie van Nebukadnessar gevierd wordt. Blijkbaar is nog niet tot de koning doorgedrongen dat God uniek is. Maar Sadrach, Mesach en Abednego weten het wel. Ze bevinden zich tussen alle hoogwaardigheidsbekleders zoals stadhouders, rechters en bestuurders. Dat is een menigte, uit alle volken die door Babel waren veroverd. En op straffe des doods moeten ze allemaal knielen voor dat ene beeld.

Maar de drie vrienden van Daniël knielen niet. Ze sterven liever dan een knieval te maken. Totale trouw aan God. Belangrijker dan hun leven? Wie zijn leven wil behouden, zal het verliezen – zou Jezus later zeggen.

Maandag 23 juni

Lezen: Daniël 3:13-18

Maar ook al redt Hij ons niet... (vs. 18)

Het kan soms logisch lijken: Daniël en zijn vrienden zijn trouw aan God, en dus gaat het altijd goed. Maar zo is het in het leven niet! Je kunt iets goeds doen en van een koude kermis thuiskomen. God is niet verplicht ons altijd zo te helpen als we hopen. Hij kan andere plannen hebben. Zo logisch was het ook voor Daniëls vrienden niet. Ook zij wisten heel goed dat hun weigering om te knielen voor het beeld hun het leven kon kosten. Toch waren ze niet bang en haalden ze hun schouders op bij het dreigement dat geen god hen zou kunnen redden uit de handen van Nebukadnessar. Ze wisten beter, omdat ze de HEER kenden. Maar ook al wisten ze niet of God werkelijk reddend zou ingrijpen, ze wilden niet anders dan luisteren naar God. Dat was hun keuze! Zo toonden zij een geloof, dat navolging verdient: bij God ben je veilig - in leven en in dood!

Dinsdag 24 juni

Lezen: Daniël 3:22-27

...zelfs geen brandlucht... (vs. 27)

Sadrach, Mesach en Abednego hadden er rekening mee gehouden dat ze zouden sterven. Maar voor het oog van alle machtige mannen die de wereld toen kende laat God zien hoe machtig Hij is. Er komt een engel in de brandende oven, die de drie knechten van God zó beschermt dat er geen spoortje van de hele heetgestookte oven te merken is. Niet eens verschroeid, zelfs geen brandlucht. Alsof ze er nooit in gezeten hadden.

Weer moet Nebukadnessar toegeven dat God 'de hoogste God' is. Dat valt niet mee voor een koning die zichzelf zó belangrijk vindt. Hij doet wat hij wil en eist wat hij wil. Maar dan schrikt hij wanneer hij ziet wat God doet. Wat is het moeilijk om te leren buigen voor God. Ja, even, op een bepaald moment. Maar wat is het geweldig om dienaar van deze God te mogen zijn. Dan weet je hoe geweldig God is, en hoe veilig je bij Hem bent.

Woensdag 25 juni

Lezen: Daniël 5:18-21

Maar toen hij hooghartig en overmoedig werd... (vs. 20)

Wat Daniël hier ophaalt staat in hoofdstuk 4 van het boek Daniël beschreven. Het gaat over een mens die vergat dat God de leiding heeft. Nebukadnessar had van God veel macht gekregen; hij was een machtige vorst over wie met eerbied werd gesproken. God had hem, zo zagen we de afgelopen tijd, geregeld laten zien dat Hij de Allerhoogste is. Maar mensen vergeten van wie ze de zegen in hun leven ontvangen. Toen Nebukadnessar trots keek naar de stad Babel en zichzelf de eer gaf liet God hem zien hoe het werkelijk was. De vorst kreeg een psychische ziekte waardoor hij zich als een dier ging gedragen. Totdat hij een moment van bezinning had en God de eer gaf. Toen genas God hem. Want zo is God: Hij verafschuwt zelfingenomenheid, maar wie Hem erkent geeft Hij zijn genade.

Donderdag 26 juni

Lezen: Daniël 5:22-28

En hoewel u dit alles wist... (vs. 22)

De zoon van Nebukadnessar is niet als zijn vader. De schokkende gebeurtenissen, waarover we gisteren hebben gelezen, hebben hem niet genezen van zijn hoogmoed. Hij meende zelfs gebruik te mogen maken van de drinkbekers uit Gods tempel.
Het is de mens eigen zichzelf te overschatten; daarvan word je genezen wanneer je God kent. Belsassar heeft God aan het werk gezien in het leven van zijn vader. Hoe is het mogelijk dat hij niet voor die God knielt, maar Hem tart?
Dan is God ook duidelijk in zijn straf. De Meden en de Perzen staan aan de poort en ze zullen Belsassar onttronen. Wat weet u van God? Wat hebt u van Hem gehoord en gezien in uw leven? Brengt u dat tot dankbare aanbidding? God vergeeft, Hij wil helpen en redden. Maar Hij zal niet met zich laten spotten: als je het weet en je toch jezelf verheft, weet Hij je te vinden.

Vrijdag 27 juni

Lezen: Daniël 6:7-12

Toen Daniël hoorde van het besluit... (vs. 11)

Een koning die zich laat aanleunen dat hij goddelijk is en dat elk verzoek tot hem moet worden gericht is dwaas. Maar ook gevaarlijk: wie niet meedoet, verdwijnt in de leeuwenkuil.

Wat is Daniëls reactie? Hij gaat onmiddellijk naar huis en knielt voor zijn God. Wilde hij zijn zorgen met God delen? Was het een demonstratie van zijn onwankelbare geloof? In ieder geval trekt hij zich niets aan van het koninklijk voorschrift. Terwijl het was bedacht om Daniël uit de weg te ruimen!

De bijbel zegt dat in het laatste der dagen mensen het beest moeten aanbidden, en wie het niet doet sterft. Wat het ook precies mag betekenen, duidelijk is het geloofsvoorbeeld van Daniël: er is niets dat en niemand die ons ervan kan weerhouden te bidden tot de enige God. Want Hem alleen komt de eer toe.

Zaterdag 28 juni

Lezen: Daniël 6:17-23

...heeft uw God ... u van de leeuwen kunnen redden? (vs. 21)

Koning Darius is er, populair gezegd, ingeluisd. Hij heeft Daniël in de leeuwenkuil moeten laten gooien. Zijn enige hoop is nog de God van Daniël. Als Daniël zelfs zijn leven in de waagschaal had gesteld om tot die God te bidden, dan zou hij toch iets van die God mogen verwachten?

En inderdaad, God stuurt een engel die de muilen van de leeuwen sluit. Zo laat God de onschuld van Daniël zien. En dat Hij de levende God is, die verheven is boven de goden en de koning van Babel. Een God die de onschuldige hoort en redt. Hier redt Hij zelfs op wondere wijze, en onmiddellijk.

Het is bijzonder dat God juist op een moment dat er aarzelend naar Hem wordt gevraagd zijn knechten niet in de steek laat. Zoals God ook mensen die Hem aarzelend zoeken echt niet in de kou laat staan!

Zondag 29 juni

Lezen: Daniël 9:1-3, 17-19

...ook omwille van Uzelf... (vs. 19)

Het is een aangrijpend gebed in dit hoofdstuk. Daniël pleit voor het herstel van Jeruzalem en van de tempel, die verwoest werden omdat het volk God de rug had toegekeerd. Hoewel ze eeuwenlang waren gewaarschuwd, hadden ze niet geluisterd. Maar er is hoop: God had door de profeet Jeremia verteld dat na zeventig jaar de ballingschap voorbij zou zijn. Daniël beschouwt het niet als een vanzelfsprekende zaak: hij draait niet om de zonde heen, hij pleit op Gods barmhartigheid en ook wijst hij erop dat Gods reputatie in het geding is: zijn naam is immers verbonden aan de stad Jeruzalem en het volk Israël! God zorgt voor zijn heilige naam, weet Daniël. Zou dat de reden zijn dat vandaag nog Jeruzalem en Israël bestaan?
We mogen God aanspreken op zijn beloften en bidden of Hij zijn naam wil heiligen in deze wereld – tot ons heil.

Maandag 30 juni

Lezen: Daniël 9:4-8

...omdat wij tegen U gezondigd hebben. (vs. 8)

We lezen nu een stukje uit het gebed waarover ook gisteren is nagedacht. Hierin belijdt Daniël schuld, van zichzelf en van zijn volk. Het is duidelijk dat hij wel pleit op Gods belofte, maar laat weten dat het Gods genade is dat er toekomst is. Uitvoerig schetst hij hoe Gods goede woorden in de wind waren geslagen. We schamen ons allemaal voor ons wangedrag. Belijdenis van schuld. Dat is een onderdeel van ons gebed dat niet gemist kan worden. God is rechtvaardig, maar wij vaak niet. En Hij is goed, Hij geeft ons zijn belofte van vergeving. Dankzij de Here Jezus is er toekomst voor wie gelooft.
Maar laten we blijven beseffen wat een wonder van Gods genade dat is. Wij hebben gezondigd, wij en ons volk, wij en onze kerk. Zeg maar eerlijk tegen God wat u verkeerd hebt gedaan. Grijp u vast aan zijn liefde. Hij laat geen bidder staan.

Dinsdag 1 juli

Lezen: Handelingen 5:1-11

Niet de mensen heb je bedrogen, maar God zelf. (vs. 4)

De eerste christenen hebben te lijden (gehad) onder vervolgingen. We zullen er in het boek Handelingen een aantal voorbeelden van tegenkomen. Maar de allereerste bedreiging voor de gemeente kwam van binnenuit, van geloofsgenoten. Lucas geeft voorbeelden van mensen die zich toewijdden aan de Heer en offers brachten. Zo waren daar Ananias en Saffira, twee mensen die ook een offer brachten - uiterlijk toegewijd en vroom. Maar wat geen mens kon doorzien, doorzag Petrus door de werking van de Geest. Hier was schijnvroomheid in het spel, schijnheiligheid, een half offer. Zij wilden imponeren, indruk maken op mensen, het werk van de Geest in de gemeente imiteren. Mensen kunnen we bedriegen, mensen kunnen het hart niet aanzien, maar Ananias en Saffira hebben alleen met mensen gerekend en niet met God. God kun je nooit bedriegen!

Woensdag 2 juli

Lezen: Handelingen 5:12-16

...vele tekenen en wonderen... (vs. 12)

De beste antireclame voor de kerk is bedrog door gelovige mensen. Misstanden in de kerk zijn des te schokkender, omdat daarmee Gods werk wordt geschaad. Ananias en Saffira hebben de deur voor Satan geopend, en daarmee de hele gemeente in gevaar gebracht. Krachtig ingrijpen van Petrus heeft de deur weer gesloten. Is de gemeente verloren? Is ze onherstelbaar beschadigd? Nee, door het kwaad uit te bannen komt er opnieuw ruimte voor de Geest. Er werd niets bedekt, ontkend, gecamoufleerd en verzwegen. Er werd ook niets goedgepraat, maar de zonde werd met naam en toenaam genoemd. Waar de boze geest van Satan niet wordt geduld, kan de Geest van God zijn werk doen. Met volle kracht. De beste reclame voor de kerk van Jezus is het werk van God door zijn Geest: het overwinnen van boze machten, het verrichten van heilzame daden.

Donderdag 3 juli

Lezen: Handelingen 5:17-25

...spreek daar tot het volk... (vs. 20)

Een nieuwe krachtmeting voor de kerk. Satan heeft als tegenstander van God nog veel meer pijlen op zijn boog. Nu zijn bedrog binnenshuis is ontmaskerd, zoekt hij nieuwe wegen. Een spreekverbod! Het spreken over Jezus zaait onrust onder het volk, vooral bij de geestelijke leiders. Dat moet dus gestopt worden.

Tegenwoordig is een spreekverbod nauwelijks meer op te leggen. We hebben meer communicatiemiddelen dan ooit tevoren, de apostelen zouden ervan gewatertand hebben. Als zij onze middelen eens hadden kunnen inzetten voor de prediking van het evangelie! Wij beschikken over die middelen, maar soms lijkt het of we als gelovigen onszelf een spreekverbod hebben opgelegd! We vinden het te beweterig of vrijpostig om over Jezus te spreken! Maar: als je bedenkt wat God in Jezus heeft gedaan, kun je dan nog zwijgen?! Let dus op, en grijp je kans.

Vrijdag 4 juli

Lezen: Handelingen 5:26-29

Men moet God meer gehoorzamen dan de mensen. (vs. 29)

Toen een Joodse man op audiëntie kwam bij Lodewijk XIV (de Zonnekoning, die zichzelf als het middelpunt van het heelal zag) moest de man erg lang wachten. Net toen het uur van gebed aanbrak, kwam de lakei hem halen. Maar de man wilde eerst zijn gebeden afronden. Verbolgen vroeg de Zonnekoning waarom hij op zijn onderdaan moest wachten. De Joodse man antwoordde: 'Voor de enige Koning die groter is dan u heb ik u een moment laten wachten.' De Zonnekoning vergaf hem.

Aardse autoriteiten hebben gezag: de apostelen erkennen het sanhedrin en de hogepriester, zij zijn er zeker niet op uit om hun gezag te ondermijnen. Maar als ze verantwoording moeten afleggen, beroepen ze zich op die ene Autoriteit die groter is dan het sanhedrin. Het is goed ons ervan bewust te zijn dat ook wij onder dat allerhoogste gezag vallen.

Zaterdag 5 juli

Lezen: Handelingen 5:30-33

...en hun zonden te vergeven. (vs. 31)

Verdachten van misdaden moeten worden berecht. Zij mogen hun straf niet ontlopen. Niets is onverdraaglijker voor slachtoffers dan dat misdadigers vrijuit gaan... Wat gebeurd is, moet aan het licht komen en de schuldigen gestraft!

Het is voor de apostel Petrus duidelijk dat de geestelijk leiders schuldig zijn aan de dood van Jezus. Maar worden ze hiervoor vervolgd? Petrus wijst op de hoogste Rechter, God de Vader. Aan zijn rechterhand zit Jezus, die over ieder mens het vonnis adviseert aan de Vader, vrijsprak: 'Vader, vergeef het hun.' God heeft Jezus niet de hoogste plaats gegeven om wraak te nemen, om zijn dood te vergelden. Ieder die tot inkeer komt en Jezus erkent als hoogste rechter, mag het horen: uw zonden zijn vergeven. Wie zo'n vrijspraak heeft ervaren, staat anders in het leven en kijkt anders tegen schuldigen aan.

Zondag 6 juli

Lezen: Handelingen 5:34-39

...en laat hen begaan... (vs. 38)

Een lastige kwestie. Wat doen we met mensen die de wet overtreden? Soms klinkt de roep om strengere straffen, maar er zijn ook mensen die niet geloven in repressie.

Strengheid of mildheid. Zijn de apostelen vromen of vlerken, dienaren van God of vijanden van het geloof, onkruid of tarwe? Te midden van de opgewonden stemming, de hete hoofden, de venijnige uitspraken, klinkt ineens een ander geluid.

Gamaliël is een pragmatisch man: laat ze maar gaan, de tijd zal het leren. Als de beweging van Jezus mensenwerk is, zal het de tand des tijds niet doorstaan. Maar als het toch Gods werk blijkt te zijn, begaan we een zonde als we ertegen strijden. Gamaliël weet het niet: daarom adviseert hij niets te doen. Is dat nu uiting van geloof of van onbetrokkenheid? In elk geval geeft het de volgelingen van Jezus ruimte om te blijven getuigen van hun Heer!

Maandag 7 juli

Lezen: Handelingen 5:40-42

...omwille van de naam van Jezus. (vs. 41)

De apostelen werden gegeseld en kregen opnieuw een spreekverbod. Ze waren blij met dat vonnis. Onvoorstelbaar! Geseling was geen sinecure, want de 'veertig min één slagen' was een geduchte straf. Niet alleen vernederend, maar een ernstige lichamelijke mishandeling. Hoe kun je je daarover verheugen? Alleen als je weet dat je het doorstaan moet vanwege je geloof in Jezus Christus en dat Hij eerder eenzelfde straf heeft ondergaan. De apostelen worden op gelijke wijze als hun Meester behandeld, zoals Jezus hun had voorspeld. Het volgen van Jezus hield ook dit lijden in! Het schaadde hun werk niet, integendeel. Hun lijden verwees naar het lijden van Jezus. Hun moed sterkte de gemeente in haar vertrouwen op Gods kracht in het leven. Tegelijk maakte hun geduldige houding diepe indruk op ongelovigen. Dat gaf onder het lijden reden tot blijdschap.

Dinsdag 8 juli

Lezen: Handelingen 6:1-7

Aan hen zullen we deze taak opdragen... (vs. 3)

De gemeente groeit! Wat zouden we dat graag horen in onze tijd van kerkverlating en kerksluiting. Deze gemeente groeit uit haar jasje. Dat is geweldig, maar het vraagt ook om aanpassing. Is de gemeente bereid het vertrouwde jasje uit te doen? De apostelen nemen de klachten serieus en erkennen dat er mensen in de knel komen. Luisteren naar elkaar is de eerste stap naar een positieve verandering. Daarop volgen overleg en gebed. De gemeente leeft in onderling vertrouwen en zoekt naar een oplossing: hoe kunnen we de taken zo verdelen dat de prediking van Gods woord de volle aandacht houdt, en dat ook alle mensen kunnen rekenen op de zorg die zij nodig hebben? De ene taak is niet belangrijker dan de andere, de ene mens is niet belangrijker dan de ander. Dat uitgangspunt is tekenend voor een levende gemeente - in de groei, maar ook in de krimp!

Lezen: Handelingen 6:8-15

...zijn gezicht leek op dat van een engel. (vs. 15)

Als kinderen leerden we het versje 'Ik wens te zijn als Jezus, zo nederig en zo goed, zijn woorden waren vriendelijk zijn stem klonk altijd zoet. Helaas, ik ben niet als Jezus, dat ziet een elk aan mij...' Als volwassenen weten we aan de hand van de bijbel dat dit niet altijd waar was: Jezus heeft waar nodig ook hard gesproken en ingegrepen! Maar we begrijpen wat in dit versje wordt bedoeld. Het is deze zachte, op God lijkende kant die men herkende bij het zien van Stefanus' gezicht. Hij leek op een engel. Maar dat gebeurde niet zomaar! Daarvoor maakte Stefanus een lijdensweg door, net als Jezus. Ook hij werd beschuldigd van Godslastering: er traden valse getuigen op en we weten waar dit proces op uitliep. Wie Jezus wil volgen moet ook zijn kruis opnemen. Stefanus was een echte volgeling, dat zag ook iedereen, zelfs aan zijn gezicht.

Lezen: Handelingen 7:54-60

Heer, reken hun deze zonde niet aan! (vs. 60)

Het is prachtig dat de gemeente van Jezus 'in de gunst stond bij heel het volk'. De publieke opinie kan erg belangrijk zijn en dan is het fijn dat de gemeente een goede naam heeft. Is dat een garantie voor verdere voorspoed? Zeker niet. In menig huiskamer hing vroeger het wandbordje met de tekst: God heeft ons geen kalme reis beloofd, maar wel een behouden aankomst. Toewijding aan Jezus is zeker geen garantie voor een rustig en vredig leven. Het geloof roept weerstand op, smaad en haat. Jezus volgen heeft altijd een prijs. Stefanus gaat de uiterste prijs betalen: hij betaalt met zijn leven! De man met het gelaat van een engel sterft met een kruiswoord van Jezus op zijn lippen: 'Vader, vergeef het hun!' Niet de haat overwint, maar Gods genade! Dat zal aan het licht komen in het vervolg van deze gebeurtenis, met name in het leven van Paulus.

Vrijdag 11 juli

Lezen: Handelingen 8:1-8

...trokken rond en verkondigden het woord van God. (vs. 4)

Satan schiet in zijn eigen voet. Niets heeft de verspreiding van het evangelie zo bevorderd als de vervolging van de gemeente. Volgelingen van Jezus moeten weliswaar uitwijken naar andere dorpen en steden, maar ze laten zich niet de mond snoeren. Overal waar ze komen, spreken ze over hun geloof in Jezus. Het zaad van het evangelie ontkiemt op de meest onverwachte plaatsen. Het groeit zelfs tegen de verdrukking in. Wie had verwacht dat Samaritanen tot bekering zouden komen? Ze hadden eerder Jezus zelfs niet willen ontvangen! Maar Filippus vindt nu een vruchtbare bodem in de harten van deze mensen. Een opwekking in Samaria!
Het woord van God gaat soms wonderlijke wegen en groeit waar niemand het meer verwacht. God opent deuren die voor anderen gesloten blijven.

Zaterdag 12 juli

Lezen: Handelingen 8:9-13

...en hij stond versteld van de tekenen... (vs. 13)

Luther zei ooit: 'Satan is de aap van God, hij probeert het werk van God te imiteren.' Overal wisten en weten charlatans volle zalen te trekken en goedgelovig volk het geld uit de zak te kloppen. Simon was zo'n charlatan. Zijn kracht werd aan God toegeschreven en dat liet hij maar zo. Misschien geloofde hij dat zelf ook...
Als Filippus het evangelie verkondigt, gaat dat gepaard met wonderen en tekenen. Maar niet om te imponeren of zelf de eer op te strijken. De tekenen wijzen op Gods macht tot heil en heling. Zo wil God mensen tot genezing brengen en tot geloof in Jezus. De tekenen roepen op tot een nieuw leven. Ook de doop door Filippus is een uiterlijk teken van innerlijke verandering! De gaven van de Geest zijn bestemd tot heil van mensen en tot eer van God. Daar heeft Simon niet van terug.

Lezen: Handelingen 8:14-24

...bood hij Petrus en Johannes geld aan... (vs. 18)

Het is niet makkelijk om het oude leven af te leggen en een nieuw leven te beginnen. Alleen de Geest van God geeft daartoe inzicht en kracht. Ook de doop is geen garantie dat een mens daadwerkelijk 'tot nieuw leven is opgestaan'. Dat blijkt maar al te duidelijk in het leven van Simon. Hij ziet de gaven van de Geest als een lucratieve zaak. Eigenlijk wil hij zijn oude leven voortzetten, maar in een ander jasje. Hij wil een nog betere magiër worden dan hij al was.

Er zijn mensen die niets snappen van het geloof in Jezus. Ze denken dat er voordeel mee te behalen is. Dat geloof een garantie moet zijn voor succes. En soms wordt het geloof ook zo aangeprezen, als een succesformule. Niets van dat alles. De gaven van de Geest worden in genade geschonken om ze in te zetten voor de medemens en tot de eer van God. En gratis!

Lezen: Handelingen 8:26-31

Begrijpt u ook wat u leest? (vs. 30)

Het heeft geen zin om iemand die niet vertrouwd is met de bijbel, een exemplaar te geven met het advies er maar veel in te lezen. Een 'vreemdeling' in het geloof zal erin verdwalen. De bijbel is geen gewoon leesboek, maar eigenlijk een kijk-en-luisterboek. Daarom moet de Geest ogen en oren openen voor wat er te zien en te horen is. Alleen zo leer je de bijbel verstaan. We hebben een leesmoeder of een leesvader nodig! En dat is precies wat de Geest hier doet. Hij stuurt een leesvader op pad om een vreemdeling te laten begrijpen wat hij leest. Filippus wordt door de Geest gebruikt om de ogen en oren van deze vreemdeling te openen, zodat hij Jezus ziet. Hebt u ooit een Filippus gekend die u op weg hielp? Of wordt u zelf op pad gestuurd om een ander tot hulp te zijn en de weg te wijzen naar Jezus? Doe het met blijdschap!

Dinsdag 15 juli

Lezen: Handelingen 8:32-35

...als een lam... (vs. 32)

Als je de bijbel serieus wilt lezen, kom je vroeg of laat obstakels tegen. Verhalen die je niet kunt plaatsen of begrijpen. Teksten waarvan je je afvraagt waarom ze in de bijbel staan. Je kunt er je tanden op stukbijten. Zo'n tekst komt de Ethiopiër tegen in Jesaja 53. Een tekst over een mens die onrechtvaardig behandeld wordt en zich niet verweert tegen zijn kwelgeesten. Die zich als een lam naar de slachtbank laat leiden. Over wie gaat dit? De man komt er niet uit!

Nu wordt duidelijk waarom Filippus op pad moest: om juist deze zoekende man te vertellen over het Lam Gods, dat de zonde van de wereld wegneemt! De hoge ambtenaar uit Ethiopië komt net uit Jeruzalem: hij is bij de tempel geweest, waar hij de boekrol heeft gekocht. Heeft hij daar de slachtlammeren gezien? Nu vertelt Filippus hem over Jezus, het Lam dat ook zíjn zonden wegneemt...

Woensdag 16 juli

Lezen: Handelingen 8:36-40

Waarom zou ik niet gedoopt kunnen worden? (vs. 36)

De hoge ambtenaar uit Ethiopië beheerde ongetwijfeld grote rijkdommen. Maar dankzij Filippus heeft hij nu de meest kostbare parel gevonden. Als Filippus hem vertelt over het nieuwe leven met Jezus, opent de Ethiopiër zijn hart. Waarom zou ik niet gedoopt kunnen worden? Een spannende vraag. Voor het Joodse geloof is hij afgekeurd, hij mag als eunuch de tempel niet betreden. Hij is een onreine. Maar in Christus gelden de reinheidsregels niet. Ziek of gezond, gehandicapt of volmaakt, man of vrouw, autochtoon of allochtoon, gehuwd of ongehuwd, hooggeplaatste of slaaf, in Christus zijn ze allemaal gelijk. Alleen die twee woorden doen ertoe: ik geloof. Dat Jezus Christus de Zoon van God is. Nu is de weg vrij om gedoopt te worden. De boodschap van Jezus gaat op weg naar Ethiopië. De schatbewaarder komt rijker thuis dan hij vertrokken is.

Donderdag 17 juli

Lezen: Filemon 1-3

Van Paulus, gevangene omwille van Christus Jezus... (vs. 1)

Een kattebelletje over een persoonlijk akkefietje. Daar lijkt de brief Filemon op. Paulus kon heel gewichtige brieven schrijven. Is zo'n klein briefje dan eigenlijk wel de moeite van het lezen waard? Jazeker, want het geeft ons een kijkje in het hart van de apostel. Het is een bijzonder hartelijke brief. We zien hoe Paulus was van mens tot mens. En vooral: hoe het evangelie dat hij verkondigt in de praktijk van zijn leven werkt.

Paulus noemt zich in deze brief niet een apostel, maar een gevangene. Hij zit in de gevangenis. Op last van de keizer van Rome. Maar laat die keizer niet denken dat hij het laatste woord heeft. Uiteindelijk is Paulus gevangene van Jezus Christus. Niet de keizer, maar Christus is zijn Heer.

Vrijdag 18 juli

Lezen: Filemon 4-5

Ik dank mijn God altijd wanneer ik u in mijn gebeden noem... (vs. 4)

Paulus schrijft een heel hartelijke brief. Als hij aan Filemon denkt, dankt hij God. We zeggen dat vaak tegen iemand of we schrijven het op een kaart: 'Ik zal aan je denken.' Vaak bedoelen we dan: 'Ik zal voor je bidden.' Dat is een dimensie méér! Biddend kom je in een bijzondere relatie met iemand te staan. In een relatie die loopt via God.

Het gebed is als een soort wagenwiel met spaken. Als je bidt, ga je naar de as toe en in dat centrum merk je dat je verbonden bent met alle mensen. In de as, in het hart van God, ontdek je wie je medemens is.

Zo is het voor Paulus en Filemon. Paulus vraagt aan Filemon om voor het aangezicht van God te komen. In de lichtkring van Jezus Christus. En naar die plek neemt hij ook de weggelopen slaaf mee voor wie hij het in deze brief wil opnemen.

Zaterdag 19 juli

Lezen: Filemon 6

Een dieper inzicht ... in al het goede...

Geloof geeft een dieper inzicht. Geloof laat dat inzicht groeien. Geloof geeft niet altijd direct oplossingen voor al onze problemen. Een panklaar recept. Dat willen we wel graag. Raken we daarom misschien soms teleurgesteld in het geloof? Omdat het ons niets oplevert? Maar zo werkt God niet. En ons geloof evenmin. Soms verandert je situatie zelfs niet. Maar jouw kijk op de situatie verandert. Echt: God verandert ingewikkelde problemen niet zomaar.
Hij schenkt wel geloof en daarmee een dieper inzicht.
Dat vraagt vaak tijd en geduld. Meestal heb je dat geduld niet. Bid dan om dieper inzicht. Want zulk dieper inzicht zal altijd betekenen dat je dichter bij Christus komt.

Zondag 20 juli

Lezen: Filemon 7

Uw liefde heeft mij veel vreugde en troost gegeven...

Liefde is sterk. Liefde is bepaald niet slap of machteloos. Liefde lijkt op een veer in een klok. Wind de veer op en de klok loopt weer. Door liefde word je opgewonden. Het geeft volgens Paulus allereerst vreugde. Het doortintelt je leven met een blij gevoel. Je bent er niet voor niets. Je mag er zijn. En elke dag opnieuw mag je dat weten.
En als het tegenzit en donker is, om je heen en in je hart, dan laat de liefde zich niet kisten. Ze is niet voor één gat te vangen. Dan troost ze en geeft ze moed.
Nee, liefde is niet een principe dat de wereld verklaart. Het is wel een kompas dat richting geeft aan je hart, je gedachten, woorden en handen...

Lezen: Filemon 8-9

...vanwege uw liefde doe ik u liever een verzoek... (vs. 9)

Ik doe liever een verzoek, zegt Paulus. Liever dát, dan jou onder druk zetten. Om iets van je gedaan te krijgen. Een eis die je niet weigeren kunt. In deze korte brief doet Paulus een verzoek aan Filemon of deze zijn weggelopen slaaf Onesimus weer terug wil nemen. Hij had mogelijk ook wat geld van zijn baas meegenomen. Paulus had zijn autoriteit kunnen gebruiken: Als apostel draag ik je op deze slaaf goed te behandelen, als uw broeder in Christus heb ik het volste recht u op uw plicht te wijzen. Maar zo werkt het in het evangelie en in de kerk niet. Paulus dwingt niet tot liefde. Hij dringt aan. Hij nodigt ertoe uit. Filemon is vrij om zijn weggelopen slaaf in liefde op te nemen. En Onesimus is vrij om terug te gaan naar zijn baas.
We zouden elkaar wat minder voor het blok moeten zetten en wat meer moeten uitdagen - uit liefde tot liefde.

Lezen: Filemon 10

...Onesimus, die tijdens mijn gevangenschap mijn kind is geworden.

Onesimus is een weggelopen slaaf. Dat slaven wegliepen, gebeurde in die dagen wel vaker. Nu is weglopen niet zo moeilijk, maar verborgen blijven wél. Een slaaf die de benen neemt, is opgejaagd wild. Hoe kom je aan onderdak? Aan eten? Je had in Rome speciaal opgeleide slavenpolitie. Zij maakten een aanplakbiljet met het signalement van de slaaf. En met een prijs voor de tipgever. Hoe voorkom je dan dat je opgepakt wordt?
Wat nu? Terug? Dan hangt er een zware straf boven je hoofd. Zou iemand een goed woordje voor hem kunnen doen?
Dan vindt Onesimus in de gevangenis Paulus. Over hem had hij in het huis van Filemon al veel gehoord. Bevrijdend. Heilzaam. En als hij in de gevangenis Paulus vindt, komt Onesimus tot geloof. En er ontstaat een innige band tussen Paulus en deze weggelopen slaaf. Daarom neemt Paulus het voor deze verschoppeling op!

Lezen: Filemon 11-13

...hoewel hij me na aan het hart ligt... (vs. 12)

Onesimus, de weggelopen slaaf, heeft een mooie naam. De nuttige. Een man die profijt biedt. Maar Filemon, wiens bezit hij is, heeft op dit moment niets aan Onesimus. Hij is een weggelopen slaaf. Hij werkt niet meer voor Filemon. Die moet dus heel wat inkomsten mislopen. Een flinke schadepost. Onesimus, de nuttige, is voor Filemon een nietsnut geworden. Een waardeloos mens. Daar liepen en lopen er duizenden van rond. In het Rome van toen net zo goed als in de wereld van nu.

Maar door zijn hart aan de Heer te geven, is dat voor Onesimus totaal anders geworden. Hij is van onschatbare waarde geworden. Paulus noemt hem: Mijn kind. Mijn geliefde broeder. Mij na aan het hart. Mijn oogappel. Een mens met wie ik samen het evangelie van genade deel. In blijdschap en verwondering. Van nietsnut nu van oneindige waarde geworden.

Lezen: Filemon 14

...niet ... omdat ik u onder druk zet, maar omdat u het zelf wilt.

Je moet niet iets doen omdat een ander het zegt, je moet het doen omdat je het zelf wilt, houdt Paulus Filemon voor. Maar dat geldt net zo goed voor zijn slaaf, Onesimus. Hij doet een beroep op je vrijheid. Je vrijheid in Christus.

Liefde dwingt niet. Ze dringt aan. Liefde maakt een vrij mens van je. Dat de Here Jezus jouw zonden vergeeft en je in genade heeft aangenomen, kan niets en niemand van je afnemen. Je bent innerlijk een vrij mens. Geldt dat ook voor een (ongehoorzame) slaaf die weggelopen is van zijn baas? Die bij terugkeer alleen maar een pak slaag kan verwachten? En weer kan buigen als een knipschaar voor zijn heer? Ja, mijnheer. Nee, mijnheer. Zal ik doen, mijnheer. Wat had je als slaaf in te brengen? Niets!

Dat is het revolutionaire van het evangelie. Ook al ben je slaaf, je bent en blijft van Christus en daarom ben je vrij.

Lezen: Filemon 15-16

...niet meer als een slaaf, maar ... een geliefde broeder. (vs. 16)

Paulus stuurt de weggelopen slaaf, Onesimus, weer terug naar zijn baas. Begint nu het verschrikkelijke leventje voor de slaaf weer van voren af aan? Nee! Paulus zegt: 'Je was je slaaf misschien een paar uurtjes kwijt, Filemon. Daar moet je niet al te moeilijk over doen. Een tijdlang moest je hem missen. Maar je krijgt hem nu voorgoed terug. Je krijgt hem niet meer terug als slaaf, maar als iets veel meer dan dat, als een geliefde broeder. Voor eeuwig! Voor mij is hij dat al. Hoeveel te meer dan voor jou, als mens en als christen.'
De slaaf is niet alleen in dat ene uurtje in de kerk een broeder van zijn baas, maar ook in het dagelijks leven, van uur tot uur. Wat Filemon terugkrijgt, is meer dan een slaaf. Een broeder in de Heer. Die leeft van hetzelfde woord van genade als zijn baas.

Lezen: Filemon 17-20

...ontvang hem dan zoals u mij zou ontvangen. (vs. 17)

Een mooi persoonlijk tintje in de brief. Paulus schrijft: 'Ontvang Onesimus zoals je mij ontvangen zou.' Hij stelt zich persoonlijk verantwoordelijk. 'En mocht hij je iets schuldig zijn, breng het mij dan in rekening.'
Dat heeft Paulus van zijn Heer geleerd. Daar kan hij diepzinnig over schrijven. Jezus is in onze plaats gestorven. Hij is onze Borg en Middelaar. Als je weggelopen bent en niet meer weet hoe je terug moet keren naar God, doet Christus een goed woordje voor je bij de Vader. Paulus heeft die boodschap zelf aan den lijve ervaren. Nu brengt hij dat in praktijk en komt hij op voor Onesimus. Hij veroorlooft zich een woordgrapje. 'Ja, broeder, wees me eens tot nut.' Onesimus' naam betekent: de nuttige. Hij vraagt Filemon een Onesimus voor hem te zijn.
Als je voor iemand opkomt, breng je in praktijk wat de Heer voor jou gedaan heeft!

Zondag 27 juli

Lezen: Filemon 21-22

Ik heb u geschreven in het volste vertrouwen dat u mijn verzoek zult inwilligen... (vs. 21)

Paulus heeft nog een verzoek aan Filemon. Een eenvoudige vraag eigenlijk. Breng voor mij een kamer in gereedheid. Voor als ik terugkom. Hij nodigt zichzelf als het ware uit. Maar zo direct stelt hij zijn vraag niet. Hij kent Filemon. Hij weet dat deze zelfs meer zal doen dan hij vraagt.

Maar ten diepste vertrouwt Paulus niet op mensen. Maar op God, die in mensen het goede uitwerkt. Filemon doet niet zozeer wat Paulus van hem vraagt. Hij aanvaardt wat God geeft. Hij leeft uit het evangelie als hij goed doet.

Op die manier is het goede wat wij doen niet een prestatie van onszelf, maar een cadeautje van God. Een geschenk. God is het, die het goede in ons uitwerkt. Goed doen is een gave van God ontvangen. En Hem ervoor danken!

Maandag 28 juli

Lezen: Filemon 23-25

Epafras ... laat u groeten, evenals ... Marcus, Aristarchus, Demas en Lucas. (vs. 23, 24)

In het Romeinse Rijk leefden miljoenen slaven. Velen van hen waren naamloos. Ze hadden vaak een verschrikkelijk leven. En als ze weggelopen waren, zag het er niet best voor hen uit. Maar het evangelie heeft die ene weggelopen slaaf een naam gegeven. Paulus komt voor hem op. Hij is een vriend voor hem geworden. Welk een vriend is onze Jezus, die in onze plaats wil staan. Zo had Paulus het zelf gehoord. Nu noemt hij de naam van deze slaaf met die van anderen. Medewerkers van Paulus. Mannen van naam. Epafras. Marcus. Aristarchus. Demas. Lucas. Dat zijn bekende namen in de gemeente. Van mensen die wat gepresteerd hebben. In kerk en maatschappij. Maar Paulus noemt de naam van de ene weggelopen slaaf erbij. Onesimus. Wie we ook zijn, we worden door Christus bij name gekend. En onder millioenen, heeft Hij ook mij in 't oog.

Dinsdag 29 juli

Lezen: Psalm 99

Recht en gerechtigheid ... ze zijn uw werk. (vs. 4)

De Heer is koning. Hij troont op de cherubs, gevleugelde hemelse wezens. Hij is heilig en gaat boven alles uit. Groot en geducht. Daarbij verzink je gemakkelijk in het niet. Alles is klein tegenover Hem. Maar die grootheid wordt in weldadige rechtvaardigheid uitgeoefend. God heeft het recht lief. Hij handhaaft het. Hij herstelt het. Voor wie in het kwaad volhardt, is er vergelding. Je ontloopt dan je straf niet. Dat is bepaald streng. Maar zou een misdadiger vrij rond mogen lopen? Voor wie zijn fouten inziet, is er vergeving. God is koning. Hij is heilig. Voor Hem beef je en sidder je. Maar die heiligheid is er nooit zonder een middelaar. In het Oude Testament zijn dat onder andere Mozes en Samuël. Zij werpen hun licht vooruit op Christus. Als je een beroep op Hem doet, vind je gehoor. Je ontvangt hulp en vergeving.

Woensdag 30 juli

Lezen: Psalm 100

Juich de HEER toe, heel de aarde, dien de HEER met vreugde... (vs. 1, 2)

Psalm 100 vraagt je om God te dienen. Niet als slaaf. Maar als vrij mens. Een dienst met vrolijkheid. Godsdienst is vreugdedienst. Twee keer klinkt een oproep om God te prijzen. Schal het uit. Maak een vrolijk geluid.

Waarom loven? Omdat God goed is. Daarom: kom voor Gods aangezicht met gejubel en blijdschap. De bekende schrijver C.S. Lewis wendde zich af van zijn zwaartillend atheïsme. Hij schreef zijn autobiografie over zijn geestelijke weg. Hij gaf die de titel mee: *Verrast door vreugde!* (*Surprised by Joy*) Dat is het.

Breng de Heer een offer van dank.

Doe mee in de liturgie, schaar je in de kring van hen die de Heer dienen met vreugde. De rabbijnen tekenden erbij aan: als er geen tempel zal zijn en er geen offers gebracht kunnen worden: breng in ieder geval dit offer van dank. Met je mond en met je hart! Dat kan elke dag. Op elke plaats.

Lezen: Psalm 105:1-9

Zie uit naar de HEER *... zoek zijn nabijheid. Gedenk de wonderen... (vs. 4, 5)*

Voor als het tegenzit en donker wordt om je heen, vertelt deze psalm nog eens een keer de geschiedenis van Israël. Hoe God zijn volk hielp en redde. Die geschiedenis moet steeds opnieuw verteld worden. Om je te bemoedigen. Je gedenkt de grote daden van de HEER. Niet: er even aan denken. Je doet het boek weer dicht en dan is het ook weer voorbij. Uit het oog, uit het hart. Zonder enige betrokkenheid. Dat is geen gedenken. Maar zo eraan denken dat het weer levendig voor je staat. Alsof het gisteren gebeurde en je er zelf bij was!

Zie uit naar de Heer. Zoek zijn nabijheid. Je kunt Hem zoeken in gebed. Je kunt Hem zoeken in de kerk. Hij is nooit ver weg van jou. Misschien ben jij wel ver weg van Hem. En heb jij je teruggetrokken voor Hem. Keer dan tot Hem terug. Wend je steeds weer tot de Heer. Gedenk de wonderen die Hij heeft gedaan.

Vrijdag 1 augustus

Lezen: Numeri 11:1-3

...en Mozes bad tot de HEER. *(vs. 2)*

De komende maand lezen we uit het boek Numeri. De Israëlieten zijn op weg van Egypte naar Kanaän. De slavernij ligt achter hen. Het Beloofde Land ligt in het verschiet. De tocht erheen voert door de onherbergzame woestijn. De blijdschap over de uittocht is dan al snel vergeten. De Israëlieten zijn zo overmand door het woestijnleven, dat zij geen oog hebben voor God, die hen op weg naar het Beloofde Land niet alleen beschermt tegen de gevaren onderweg of tegen vijanden die hen van buitenaf of van binnenuit bedreigen. Het geklaag van het volk en het gebrek aan vertrouwen doet God ontbranden in woede. De Israëlieten roepen om hulp tot Mozes. Op het gebed van Mozes dooft het vuur van Gods woede. Israël moest leren niet te zien op de barre omstandigheden, maar op God. Laten ook wij het in alle omstandigheden van Hem verwachten.

Zaterdag 2 augustus

Lezen: Numeri 11:4-9

...en ook de Israëlieten begonnen weer te klagen. (vs. 4)

Als Israël uit Egypte trekt, trekt een samenraapsel van allerlei mensen in zijn kielzog mee. Dat samenraapsel zet de toon en Israël valt bij: het was vroeger allemaal veel beter met gratis vis, meloenen en komkommers. Kom daar maar eens om in de woestijn! Het volk kijkt niet vooruit, maar om zich heen en achteruit. Rondom is woestijn. Liever slaaf zijn met eten, dan 'vrij' ronddolen in de woestijn. Alsof het niet gaat om de beweging, alsof het manna niet een rantsoen is voor onderweg.

Herkenbaar tot op de dag van vandaag; mensen die bij gebrek aan visie en geloof alleen maar achterom kunnen kijken. Die het niet durven wagen met Israëls slagvaardige God de slag om de toekomst aan te gaan. Ze zijn te lijmen met vis en komkommer, zoals Ezau indertijd met linzenmoes. Laten wij in de woestijn van het leven ons oog gericht houden op God.

Zondag 3 augustus

Lezen: Numeri 11:10-15

Ik alleen kan de last ... niet dragen... (vs. 14)

Teleurgesteld en boos staat Mozes op het punt het bijltje erbij neer te gooien. Het wordt hem allemaal te veel! Niet alleen is hij het eeuwige gejammer van de Israëlieten dat ze beter in Egypte hadden kunnen blijven, meer dan zat. Ook voelt hij zich door God in de steek gelaten. 'Ik alleen kan de last van dit hele volk niet dragen. Als U mij dit werkelijk wilt aandoen, dood me dan liever meteen.' Er klinkt iets depressiefs in deze woorden door. Mozes heeft het gevoel dat hij de taak van God moet waarnemen en als een moeder voor zijn volk moet zorgen. Daar dreigt hij aan onderdoor te gaan. Mozes klaagt zijn nood bij God en maakt ons zo ook duidelijk wat ons te doen staat als het leven ons te zwaar dreigt te worden: onze last afwentelen op God en bidden. Dan mogen we ervaren dat Hij een hoorder van gebeden is.

Maandag 4 augustus

Lezen: Numeri 11:16-23

Welnu, de HEER zal u vlees geven... (vs. 18)

De Israëlieten trekken door de woestijn. In dit land van ontberingen leven zij van wat hun door de HEER wordt gegeven. Maar ze willen méér! De gedachte aan de overdaad in Egypte houdt hen gevangen. Maar terugkeer betekent de verworven vrijheid prijsgeven. Mozes is totaal met de situatie verlegen. Hij is bang dat de macht van God tekortschiet. Zonder boosheid laat de HEER aan Mozes zien: handen van mensen zijn vaak te kort, mijn handen niet!
De Israëlieten hebben het geweten, ze krijgen waar ze om gevraagd hebben. Niet mondjesmaat, maar overvloedig; niet één dag, maar vele dagen. Eten zullen ze totdat het hun neus uitkomt en ze er misselijk van worden.
Israël moet nog veel leren, bijvoorbeeld om rustig op God te vertrouwen en zijn weg te gaan! Een les die wij soms ook nog moeten leren.

Dinsdag 5 augustus

Lezen: Numeri 11:24-30

Legde de HEER zijn geest maar op heel het volk! Profeteerde iedereen maar! (vs. 29)

Er zijn mensen, oudsten van het volk, die Mozes bijstaan in zijn taak. Wanneer zij allen zijn samengekomen, daalt de Heer neer in de wolk. Hij spreekt tot de oudsten en laat hen delen in dezelfde Geest die Mozes bezielt. Ze komen in beweging en gaan profeteren.

Mozes zou wensen dat allen die bij de HEER horen, geïnspireerd zouden worden door de Geest, maar de werkelijkheid is dat mensen die Geest vaak weerstaan. Wanneer de Geest van God mensenlevens echter bezielt, komen die mensen in beweging en zal het woord van de HEER weer gehoord en gehoorzaamd worden. Diezelfde Geest wil ook vandaag leidinggeven aan uw leven en u inspireren en prikkelen tot het goede.

Woensdag 6 augustus

Lezen: Numeri 11:31-35

Toen liet de HEER een wind opsteken... (vs. 31)

De Israëlieten hebben om vlees gevraagd. En ziedaar: met de wind vanuit de zee komen ontelbare kwartels. Dat zijn kleine vogels die zich gemakkelijk laten vangen. Waar men ook rondkijkt, overal zijn ze zomaar voor het grijpen. Op weg naar het Beloofde Land laat de HEER zijn volk niet in de steek. Hij komt tegemoet aan de nood van mensen. Maar wie in onmatig begeren overvloed wil binnenhalen, gaat aan zijn eigen gulzigheid ten onder.

De God van Israël is ook onze God. Hij zorgt vaak op een andere manier voor ons dan wij zouden verwachten. De vraag is wel: hoe gaan we om met wat Hij ons geeft? Durven wij erop te vertrouwen dat God ons dagelijks geeft wat wij nodig hebben?

Donderdag 7 augustus

Lezen: Numeri 12:1-9

Maar met mijn dienaar Mozes, op wie Ik volledig kan vertrouwen, ga ik anders om...
(vs. 7)

Mozes is met de Israëlieten op weg gegaan naar een nieuwe toekomst. De Heer trekt met hen mee. Zijn trouw en bescherming blijven hen omringen. Mozes leeft in verbondenheid met de HEER, die zich aan hem laat zien en rechtstreeks met hem spreekt. In die vertrouwelijkheid groeit Mozes uit tot een groot profeet. De Heer noemt hem 'mijn dienaar Mozes, op wie Ik volledig kan vertrouwen'. Als Aaron en Mirjam dan kritiek durven uiten vanwege Mozes' huwelijk met een Nubische vrouw, neemt de HEER het voor hem op.
Als we samen met de HEER op weg gaan en in zijn nabijheid blijven, vinden we bij Hem bescherming en veiligheid. Hij zal het zelfs voor ons opnemen! Zijn aanwezigheid en trouw zijn hartverwarmend.

Vrijdag 8 augustus

Lezen: Numeri 12:10-16

Toen riep Mozes luid de HEER aan... (vs. 13)

Mozes is opnieuw getrouwd, nu met een Nubische, zwarte vrouw. Kennelijk een vrouw uit het samenraapsel van mensen dat uit Egypte was uitgetrokken. Van laag allooi moet je veronderstellen, en moet Mozes daar nu mee thuiskomen? Mirjam moet er niets van hebben. Mozes' leiderschap staat op het spel: heeft God alleen door Mozes gesproken? Een coup ligt op de loer. Maar Mozes is kind aan huis in Gods geheimen. En daarom mag ook zijn Nubische vrouw zich bij God welkom heten.
Mirjam wordt gestraft voor haar opstandige optreden en krijgt bedenktijd over die zwarte vrouw: wit als sneeuw.
Op voorspraak van Mozes, Gods vertrouweling, ontvangt Mirjam ten slotte vergiffenis en wordt zij genezen. Het gebed van een rechtvaardige vermag blijkbaar veel.

Zaterdag 9 augustus

Lezen: Numeri 13:1-3; 17-20

Kijk of het land bewoonbaar is of onherbergzaam... (vs. 19)

De Israëlieten staan vlak voor het Beloofde Land. Twaalf verspieders gaan op verkenningstocht met als opdracht: taxeer de vruchtbaarheid van het land, verken de ommuurde steden, neem alles goed in je op. Kijk of het land bewoonbaar of onherbergzaam is. De NBG-vertaling spreekt over 'goed of slecht'.

Zoals God in het eerste bijbelboek Genesis zijn schepping-voor-de-mensen *goed* noemt, zo vraagt Israël zich nu af: Is wat God nú voor de Israëlieten in petto heeft ook *goed?*

Daarmee wordt een vertrouwensvraag gesteld. Als je met God de toekomst tegemoet gaat, kan het zijn dat je je meer dan eens afvraagt: Klopt het wel? Gaat het wel goed?

De twaalf mannen zullen in elk geval de ervaring opdoen dat de HEER hun niet te veel gezegd heeft toen Hij hun een land beloofde, overvloeiende van melk en honing. Ook voor ons geldt dat God ons het goede wil geven.

Zondag 10 augustus

Lezen: Numeri 13:21-24

In het Eskoldal aangekomen sneden ze een rank met één tros druiven af... (vs. 23)

De Israëlieten zijn op weg gegaan naar Kanaän, het land dat hun van Godswege is beloofd. Dáár ligt hun toekomst. Daar zullen zij een nieuw bestaan opbouwen en leven als vrije mensen. Maar dat land, die toekomst moet nog wel veroverd worden. In de vorige overdenking lazen we dat er een aantal mannen uitgezonden is, uit elke stam één, om te zien hoe het land is. Zij ontdekken de grote rijkdommen van het Beloofde Land en nemen als bewijs een grote druiventros en enkele vruchten mee. Dat moet een bemoediging zijn voor de Israëlieten en hun nieuwe hoop geven in de ontberingen van de woestijn.

De weg die mensen moeten gaan is soms lang en moeilijk. Toch geeft God ons tekenen van een hoopvolle toekomst. Dat geeft ons kracht en moed om onze weg door het leven te vervolgen.

Maandag 11 augustus

Lezen: Numeri 13:25-33

Werkelijk, het vloeit over van melk en honing... Maar ... de bevolking van dat land [is] sterk. (vs. 27, 28)

Een vruchtbaar land, sterke steden, de bewoners zijn lang. Het verslag van de twaalf verkenners is unaniem. Maar de beelden die zij daarbij hebben zijn verschillend. De beelden van tien van hen zijn donker, alles even dreigend; ónderbelicht. Op grond van die donkere beelden concluderen zij: feiten zijn feiten, kijk maar, dat redden we nooit. De beelden van Jozua en Kaleb geven dezelfde feiten weer, maar helder en niet bedreigend. Zij hebben geflitst met de lamp van Gods belofte: *Ik zal jullie dit land geven!* Daarom concluderen die twee: we zullen het redden. God heeft het beloofd.

Hoe kijken wij aan tegen de wereld? Bepalen harde feiten onze houding, of durven we die te bezien in het licht van Gods beloften?

Dinsdag 12 augustus

Lezen: Numeri 14:1-4

Laten we een leider kiezen en teruggaan naar Egypte. (vs. 4)

De reactie van de Israëlieten op het beeld dat de verkenners schetsen van het Beloofde Land is duidelijk: ze geloven niet dat God iets kan uitrichten: feiten zijn immers feiten. De steden en de bevolking zijn te sterk. Daarom: retour! Een andere leider en terug naar Egypte! Weer kiest het volk voor wat hun vast en zeker lijkt, al is dat een slavenbestaan.

We herkennen misschien de reactie wel. Het is toch normaal om logisch na te denken en op grond van feiten je kansen op succes te berekenen? De Israëlieten durven de intocht in het Beloofde Land in elk geval niet aan.

Durven wij God te geloven op zijn woord, ook dwars tegen de feitelijke logica in? Weet wel: geloven houdt de toekomst open. Feiten alleen brengen je terug bij af.

Woensdag 13 augustus

Lezen: Numeri 14:5-10

...wij worden bijgestaan door de HEER. (vs. 9)

De Israëlieten zijn opstandig. Eerst krijgen Mozes en Aaron ervan langs. Zij krijgen de schuld van het lange, moeizame trekken door de woestijn. Dat het volk daarmee in feite God zelf aanklaagt, heeft het blijkbaar niet in de gaten. Ook Jozua en Kaleb, twee van de verkenners die positief geadviseerd hebben, moeten het ontgelden. Zij dreigen gestenigd te worden als zij uitkomen voor hun geloof. Toch blijven zij ervan overtuigd dat zij met God op de goede weg zijn. De HEER is met ons, er kan ons niets gebeuren. De bevolking van het Beloofde Land kunnen we met Gods hulp met gemak aan.

Wat kan het ook voor ons een zegen zijn als we voor onszelf weten: we zijn op de goede weg. De HEER is met ons. Dat houdt ons staande onder alle omstandigheden van het leven.

Donderdag 14 augustus

Lezen: Numeri 14:11-19

Laat daarom zien hoe groot uw verdraagzaamheid is... (vs. 17)

De weg door de woestijn naar het Beloofde Land is moeizaam. Ondanks alle tekenen die de HEER te midden van het volk heeft gedaan, wordt het vertrouwen in Hem herhaaldelijk opgezegd. Het godsoordeel klinkt: 'Ik zal het volk met de pest treffen en verhinderen dat zij het land in bezit nemen.' Mozes bidt en smeekt de HEER ten gunste van het volk. Stel je voor: de omringende volken zouden kunnen denken dat de HEER niet bij machte is om zijn volk naar het Beloofde Land te brengen! Ook vraagt hij God: 'Toon uw grote trouw en vergeef dit volk.'

Op het gebed van Mozes toont God zich genadig en vergeeft hij de schuld van de Israëlieten.

Ook onze ongerechtigheden wil Hij genadig vergeven als wij Hem in oprecht berouw daarom vragen.

Vrijdag 15 augustus

Lezen: Numeri 14:20-25

Ik zal vergeving schenken, zoals je vraagt. (vs. 20)

Mozes bidt en doet een beroep op Gods goedheid en trouw. Als het volk zijn zonde belijdt en zich toevertrouwt aan Gods genade zal het vergiffenis ontvangen. Maar de gevolgen van de zonde zijn niet altijd uit te wissen. Het volk dat de HEER, zijn God versmaad heeft, zal het Beloofde Land niet zien. Voor mensen als Kaleb is er wel toekomst. In hem heerst een heel andere gezindheid. Hij is trouw gebleven op de weg van de HEER, daarom zal aan hem en zijn nageslacht het land gegeven worden.

Ook voor ons gelden de beloften van God. Het vraagt weliswaar een sterk geloof en een vast vertrouwen van onze kant, maar dan zullen we ook meemaken hoe God zijn beloften in ons leven waarmaakt.

Zaterdag 16 augustus

Lezen: Numeri 14:26-35

Jullie kinderen... Zij zullen het land ... leren kennen. (vs. 31)

Bevrijd door de HEER en met een ideaalbeeld van een land waar het goed is om te wonen, zijn de Israëlieten vol moed op weg gegaan. Maar door de harde werkelijkheid is dat ideaal stukje voor stukje afgebrokkeld. De beproevingen tijdens de woestijnreis eisten hun tol. Toch heeft de HEER ondanks alles voor zijn volk gezorgd, zodat het niets tekortkwam. De wonderen die Hij tot stand heeft gebracht waren tekenen van zijn trouw. Bij het volk ontbrak het vaak aan vertrouwen.

Als gevolg van het onophoudelijke gemor heeft deze generatie Israëlieten een leven lang moeten zwerven door de woestijn. Wie het met God niet wagen wil, is ten dode opgeschreven.

Toch kan gezegd worden dat God trouw blijft van generatie op generatie. De toekomst is voor hun kinderen.

Zondag 17 augustus

Lezen: Numeri 14:36-38

...die mannen stierven in de buurt van het heiligdom... (vs. 37)

Moed en optimisme hadden bij het volk Israël plaatsgemaakt voor wanhoop toen zij de negatieve verhalen van tien van de verspieders gehoord hadden over het land Kanaän. Het gebrek aan vertrouwen van deze mannen wierp een donkere schaduw over het volk en een smet over de grote daden van God. Daardoor dachten de Israëlieten er niet meer aan dat God, die hen met krachtige hand had uitgeleid en hun trouw gebleven was, hun voorzeker het Beloofde Land zou geven. Ze rekenden niet meer met God, maar zagen uitsluitend op hun eigen mogelijkheden. Deze negatieve opstelling van de tien verspieders, waarmee zij het volk misleidden, kwam hun duur te staan. Gods oordeel voltrok zich. Zij stierven in de buurt van het heiligdom. Overigens heeft hun dood tot gevolg dat Israël weer bepaald wordt bij God, die trouw blijft aan zijn verbond.

Maandag 18 augustus

Lezen: Numeri 14:39-45

...de HEER *is niet in uw midden. (vs. 42)*

Het is slecht afgelopen met tien van de twaalf verspieders. Hun ongeloof werd hun noodlottig. De Israëlieten hebben er spijt van en willen het nu goedmaken door meteen Kanaän binnen te trekken. Een heilloos plan. Want Kanaän kan niet worden veroverd door het leger van Israël, maar wordt door de HEER aan hen gegéven in geloof. Dat zal ook later blijken, bijvoorbeeld bij de binnenkomst in Kanaän: Jericho valt zonder slag of stoot, of het moet bazuinstoot zijn. Maar nu kan Israël het land nog niet beërven. De woestijnleerschool, de scholing in vertrouwen, is nog niet voltooid. En op eigen kracht gaat het niet. Dat is de les die Israël bij Chorma leert.

Net als Israël zullen wij ook telkens weer opnieuw moeten leren op God te vertrouwen en te vragen: 'Wat wilt U dat ik doen zal?'

Dinsdag 19 augustus

Lezen: Numeri 16:1-4

De Leviet Korach ... en de Rubenieten Datan en Abiram ... kwamen tegen Mozes in opstand. (vs. 2)

Korach ageert tegen het leiderschap van Mozes en Aäron. Hij realiseert zich echter dat hij - ondanks zijn rijkdom en invloed - alleen weinig kan doen om het vertrouwen van het volk in hun leiders te ondermijnen. Daarom zoekt hij metgezellen. De Rubenieten Datan en Abiram sluiten zich samen met 250 andere leiders bij hem aan. Samen voelen zij zich sterk genoeg om in opstand te komen. Onder de vrome dekmantel van gerechtigheid beschuldigt Korach Mozes ervan zijn leiderschap aan het volk op te leggen en zijn broer Aäron als hogepriester naar voren te schuiven. Dit terwijl alle Israëlieten toch heilig zijn, apart gezet voor de dienst aan God. Maar Korachs opstand faalt, omdat zijn motieven onzuiver zijn. Hij rekent alleen met eigen eer en gaat daarmee voorbij Gods wil.

Woensdag 20 augustus

Lezen: Numeri 16:5-15

Is het u niet genoeg... (vs. 10)

Wanneer Mozes de beschuldigingen van de leden van de stam Levi en hun metgezellen hoort, bidt hij tot God. Dan spreekt hij Korach en zijn partij toe en vertelt hun dat zij zich voor moeten bereiden voor de volgende dag. Allen moeten dan reukwerk offeren voor God. Degene wiens offer door God aanvaard wordt zal Hem als priester dienen. Intussen doet Mozes nog een laatste poging om Korach op andere gedachten te brengen. 'Is het u niet genoeg dat Hij u ... in zijn nabijheid heeft toegelaten? Eist u nu ook nog het priesterschap op?' Maar Korach volhardt in zijn houding tot woede van Mozes. Met zijn weigering het leiderschap van Mozes en Aäron te erkennen, weigert Korach ten diepste ook het gezag van God te erkennen.
Het niet erkennen van Gods gezag kan een mens vroeg of laat duur komen te staan.

Donderdag 21 augustus

Lezen: Numeri 16:16-22

Zonder je van deze menigte af... (vs. 21)

Korach en zijn aanhangers komen de volgende dag allen naar de ingang van de ontmoetingstent. Het is de grote dag waarop de HEER duidelijk zal maken wie als priesters tot Hem mogen naderen aan de hand van de vuurpannen met reukwerk.

We horen dat God van plan is om zijn volk Israël vanwege hun weerspannige gedrag te verdelgen. Maar weer verraadt zich de ware herder; het tekent Mozes dat hij niet de gelegenheid te baat neemt om zich van zijn lastige tegenstanders te ontdoen, maar dat hij voor het volk pleit op Gods genade.

Wat een groot contrast met Korach, Datan en Abiram. Zij hebben geen oog voor de belangen van de Israëlieten. Zij dienen alleen hun eigen belang en slepen zo het volk mee in het verderf. Op Mozes' voorbede blijft het volk vooralsnog gespaard.

Hoe stellen wij ons op; als een Korach of als Mozes?

Vrijdag 22 augustus

Lezen: Numeri 16:23-30

Draag allen op om bij de tenten van Korach, Datan en Abiram weg te gaan. (vs. 24)

Op het moment dat Mozes bad tot God om de komende ondergang van het volk af te wenden, had Gods oordeel mogelijk nog afgewend kunnen worden als Korach en de zijnen berouw hadden getoond en vergeving hadden gevraagd. Maar zij bleven volharden in hun gelijk. Een groot deel van de Israëlieten was in feite medeschuldig, omdat het Korach tot op zekere hoogte gesteund had. Toch maakte God in zijn ontferming onderscheid tussen de leiders van de opstand en degenen die zich hadden laten meeslepen. Het volk Israël kreeg alsnog een kans om zich opnieuw te keren tot God.

De rebellie tegen Mozes en Aäron en daarmee tot God leidt voor Korach en de zijnen tot hun ondergang. God is weliswaar barmhartig, maar met Hem valt niet te spotten.

Zaterdag 23 augustus

Lezen: Numeri 16:31-35

...de aarde opende haar mond en slokte hen op... (vs. 32)

Dit is een moeilijk gedeelte. De drie opstandelingen hebben het ernaar gemaakt. Maar die naamloze vrouwen, kinderen en slaven dan? In onze tijd is dat inderdaad onbegrijpelijk. Maar in de wereld van het Oude Testament zei men niet 'ik', maar 'wij'. Je was naast individueel persoon, veeleer lid van een familieclan, altijd zoon of dochter van iemand. Korach, Datan en Abiram stonden daar voor hun families. Toch komt daarin later in bijbelse tijden een verandering. Ieder mens wordt persoonlijk verantwoordelijk voor zijn daden. De reformator Calvijn noemt dit 'voortgaande openbaring' – waarbij een collectieve keuze, zowel positief als negatief, tot het verleden gaat behoren. We worden persoonlijk door God op onze handel en wandel aangesproken. Is onze levenswandel in overeenstemming met Gods wil?

Zondag 24 augustus

Lezen: Numeri 17:1-5

Sla er platen van en bekleed daarmee het altaar. (vs. 3)

Het verhaal van Korach, de aartsrebel tegen de autoriteit van Mozes en Aäron – en impliciet ook tegen God – neemt een opmerkelijke wending. Eleazar, de zoon van Aäron krijgt opdracht de vuurbakken die door de opstandelingen gebruikt zijn voor het branden van hun reukwerk, te pletten tot metalen platen. Zij moeten met die platen het altaar bekleden, als een waarschuwing (Hebreeuws: 'ot') voor het volk dat alleen afstammelingen van Aäron in de nabijheid van de HEER mogen komen. Het Hebreeuwse woord 'ot' heeft overigens gewoonlijk een veel positievere betekenis. Het wordt bijvoorbeeld gebruikt in het verhaal van de regenboog als teken van het Noachitische verbond. Het wil ons er op een positieve manier aan herinneren om Gods verbondsbepalingen, zijn richtlijnen voor het leven, serieus te nemen.

Lezen: Numeri 17:6-15

U hebt het volk van de HEER gedood... (vs. 6)

Eergisteren lazen we hoe Gods oordeel over Korach en de zijnen werd voltrokken. Het volk had nog genade ontvangen, maar het is in zijn gezindheid niet werkelijk veranderd. De Israëlieten spreken over de opstandelingen als 'het volk van God' en geven Mozes en Aäron de schuld van hun dood. En dat terwijl het juist Mozes was die voor het volk gepleit had bij God. Blijkbaar hebben de Israëlieten niet geleerd van de gebeurtenissen van de voorafgaande dagen. Nu voltrekt zich Gods oordeel over hen. Velen komen om door een plaag. Weer zien we de liefde van Mozes voor zijn volk. Hij gebiedt Aäron in zijn vuurpan reukwerk te branden voor God om zo verzoening te doen voor de zonden van het volk en nog meer slachtoffers te voorkomen. In zijn liefdevolle, geduldige houding laat Mozes zien wat het betekent God en mensen te dienen.

Lezen: Numeri 17:16-24

...zag hij dat de staf van Aäron ... in bloei stond. (vs. 23)

Om tot een definitieve oplossing van het leiderschapsvraagstuk te komen, moet iedere stam een houten staf - met zijn naam daarin gegraveerd - brengen naar de ontmoetingstent. De staf van Aäron, die al eerder gebruikt was bij de farao, en toen veranderde in een slang, representeert de stam Levi. Op zichzelf zijn deze amandelhouten staven, los van de amandelboom, dood. Maar het wonder geschiedt dat de staf van Levi tot leven komt, bloesem en zelfs amandelen draagt. Hiermee bevestigt God zijn keuze voor het priesterschap van Aäron.

De amandelboom is de eerste bloeier in het voorjaar en wordt daarom ook wel 'wakende boom' genoemd. Daarom is deze boom een zinnebeeld voor de roeping van Aäron en zijn nakomelingen, maar ook voor ons een teken om wakker en waakzaam te zijn en Gods richtlijnen voor het leven te handhaven.

Woensdag 27 augustus

Lezen: Numeri 17:25-28

De staf van Aäron moet je voor de verbondstekst terugleggen... (vs. 25)

Mozes krijgt van God de opdracht om de bloeiende staf van Aäron in de ark van het verbond te bewaren als een waarschuwing voor de Israëlieten om niet opnieuw in te gaan tegen Gods plannen en vertrouwen te hebben in zijn zorg. In de ark van het verbond werden naast deze staf ook de twee stenen tafelen bewaard met de richtlijnen van God voor het leven en een gouden kruik met manna, teken van Gods goede zorg voor mensen.

De verbondstekstsen, met de kruik manna en de staf van Aäron, zijn daarmee een herinnering voor Israël - maar ook voor ons - om Gods richtlijnen voor het leven serieus te nemen en te vertrouwen op zijn goede zorg onder alle omstandigheden van het leven. Hij wil met ons meegaan op onze levensweg.

Donderdag 28 augustus

Lezen: Numeri 20:2-11

...en het water stroomde eruit... (vs. 11)

Het is om moedeloos van te worden. Aldoor maar die verwijten. En nu weer omdat het volk bijna omkomt van de dorst omdat er geen water is. En weer klinkt het verwijt: Mozes, waarom heb je ons uit Egypte gehaald en ons in deze ontberingen gebracht? Hier in de woestijn is er geen koren, zijn er geen wijnstokken en vijgenbomen en is er geen drinkwater! Dit wordt onze ondergang! Mozes en Aäron roepen de hulp van de HEER in. Mozes ontvangt de opdracht om zijn staf te nemen en in tegenwoordigheid van het volk tot de rots te spreken. Dan zal er water tevoorschijn komen. In plaats van te spreken tegen de rots, slaat Mozes op de rots, wat hem later duur zal komen te staan. Ondanks het gebrek aan vertrouwen van de Israëlieten in Gods voorzienigheid houdt Hij hen in leven. God zorgt, ook nu!

Vrijdag 29 augustus

Lezen: Numeri 20:12-13

...zullen jullie ... niet in het land brengen... (vs. 12)

Voor ons onbegrijpelijk, deze straf voor Mozes en Aäron. Mozes heeft zijn hele leven in dienst van God gesteld. En nu krijgen hij en zijn broer te horen dat zij het land Kanaän niet in mogen. Aanleiding is de 'twist' tussen het volk en Mozes. Mozes wordt gedaagd rekenschap af te leggen van het feit dat hij het volk Israël na de uittocht uit Egypte in de woestijn gebracht had. In dit geding zal de HEER zelf rechter zijn.

Maar Mozes gaat in Gods licht staan; híj, Mozes, zal water geven. De HEER had kunnen volstaan met het afsluiten van de bron: dan had Mozes een afgang beleefd. Dat er niettemin water uit de rots komt is genade. Toch blijft deze straf voor Mozes moeilijk te verteren. Hij had eerder moeten beseffen dat het God is die geeft en dat Hem de eer toekomt. Geven wij in ons leven God de eer die Hem toekomt?

Zaterdag 30 augustus

Lezen: Numeri 20:14-21

Maar de Edomieten ... kwamen hun met een groot, sterk leger tegemoet. (vs. 20)

Voordat het volk van God het beloofde einddoel, het land Kanaän zal bereiken, is er nog een laatste hindernis. Nog een laatste krachtproef. Zal het oorlog worden met Edom, het broedervolk van Israël? De HEER had hun gezegd de strijd met de Edomieten te vermijden. Tenslotte ga je niet het gevecht aan met je broeder! Het betekent echter wel dat de reis langer zal duren en dat de Israëlieten nog een flink stuk door de woestijn moeten trekken. Een tegenvaller? Misschien wel, maar Mozes herinnert het volk eraan dat het beter is om Gods wil te doen en daarmee ook zijn zegen te ervaren, ook al betekent dat een omweg. Dat geldt nog altijd. Het is het beste om toch Gods weg te gaan, ook al is die anders dan je wilde. Hij weet immers wat voor ons welzijn het beste is.

Zondag 31 augustus

Lezen: Numeri 20:22-29

Ze gingen ... de berg op, zoals de HEER Mozes had opgedragen. (vs. 27)

Het leven van Aäron loopt ten einde. Zijn priesterschap zal worden overgedragen op zijn zoon Eleazar. Op de berg Hor, staande tussen de HEER en het volk, handelt Mozes naar Gods bevel. Hij laat Aäron het priesterkleed afleggen en bekleedt Eleazar met het priesterschap.

Als mensen wegvallen, houdt de dienst des Heren niet op te bestaan. Steeds weer worden mensen aangewezen en bekleed met het ambt der dienstbaarheid. Van generatie op generatie, van ouders op kinderen, zullen mensen de boodschap van Gods trouw, barmhartigheid en gerechtigheid doorgeven. Wie die opdracht verstaat, weet ook wat vandaag zijn taak is! De HEER blijft doorgaan met zijn volk, met u en mij.

Maandag 1 september

Lezen: Efeziërs 1:1-2

Genade zij u en vrede... (vs. 2)

In de komende tijd gaan we lezen in Paulus' brief aan de gemeente in Efeze, een destijds grote stad aan de westkust van het huidige Turkije. Zoals gebruikelijk in die tijd begint Paulus deze brief met zich voor te stellen, noemt hij de geadresseerden en groet hij zijn lezers. Maar juist in die groet wijkt hij af van wat gebruikelijk is. Hij schrijft namelijk niet 'gegroet!', maar 'genade zij u'. In het Grieks lijkt dat heel veel op elkaar, toch is het een belangrijke wijziging. Want dit enkele woord verlegt de aandacht naar de Gód van Paulus. Hij komt in liefde naar de eerste lezers én naar ons toe en biedt daarom vrede aan, dat wil zeggen een goede verhouding met Hem waardoor we ook in een gezonde verhouding tot onze medemens komen te staan. Deze aanhef zet de toon: wie we ook zijn en waar we ook zijn – Jezus' Vader gunt ons harmonie!

Dinsdag 2 september

Lezen: Efeziërs 1:3-6

In Christus immers heeft God ... ons vol liefde uitgekozen om voor Hem heilig en zuiver te zijn... (vs. 4)

Wij verkiezen iemand altijd voor een bepaald doel, bijvoorbeeld dat hij of zij als volksvertegenwoordiger optreedt. Tegelijk vinden wij dat, wil je verkozen worden, je wel wat in je mars moet hebben. Dat eerste is bij God niet anders. Hij verkiest mensen 'om voor Hem heilig en zuiver te zijn'. Met die eigenschappen werden in de tijd in Israël de priesters omschreven. Zo stonden zij tussen God en mensen als bemiddelaars.

Maar over het tweede denkt God anders! Hij verkiest, zegt Paulus, 'in Christus'. Dat wil zeggen: jouw goede eigenschappen dank je aan Christus, aan het offer dat Hij bracht voor de vergeving van je zonden. En door het geloof in Hem ontvangen we de heilige Geest die ons bekwaam máákt om te dienen.

Woensdag 3 september

Lezen: Efeziërs 1:7-10

...zijn voornemen om met Christus de voltooiing van de tijd te verwezenlijken... (vs. 9)

Opgaan, blinken en verzinken, zo kun je de geschiedenis van veel heerschappijen typeren. Hoe is dat eigenlijk met Góds heerschappij? Wel, totaal anders.

Want als Paulus God heeft geprezen om zijn genade dat we zijn kinderen mogen zijn, bereid en geschikt om Hem te dienen, looft hij Hem ook om zijn grootse plan om 'met Christus de voltooiing van de tijd te verwezenlijken'. Paulus heeft in Jezus' leven en werk erkend hoe God de geschiedenis tot voltooiing leidt. Zijn einddoel is: duivel en zonde worden definitief overwonnen, deze aarde wordt vernieuwd. God doet dat 'met Christus' en dat betekent voor ons: als God die nieuwe aarde niet bewerkt buiten Christus om, zullen ook wij die nieuwe aarde niet bereiken zonder Hem. Volg Christus!

Donderdag 4 september

Lezen: Efeziërs 1:11-12

...om vanaf het begin onze hoop te vestigen op Christus... (vs. 12)

Iemand zei een keer: 'Je kunt nooit zeker weten of je op de nieuwe aarde zult komen wonen.' Is dat zo? Dat ligt eraan. Als onze zekerheid berust op de overtuiging dat we het wel verdiend hebben of op dat God zo aardig is dat Hij er wel voor zorgt dat iedereen daar komt, dan heeft onze zekerheid een wankele basis, is ze een kaartenhuis.

Laten wij onze zekerheid bouwen op wat in de tekst van vandaag staat: Paulus schrijft dat God *in Christus* ons op de nominatie zet voor de nieuwe aarde. En belangrijk is dan dat we onze hoop ook vestigen op Christus, dat wil zeggen: erkennen en vertrouwen dat we onze stralende toekomst te danken hebben aan Hem. Met andere woorden: je weet zeker dat je op de nieuwe aarde zult komen wonen door je vast te houden aan Christus. Hij neemt je mee!

Vrijdag 5 september

Lezen: Efeziërs 1:13-14

...gemerkt met het stempel van de heilige Geest... (vs. 13)

Over het algemeen kunnen we stellen: wat van ons is willen we ook hóúden. We kunnen het eventueel weggeven, maar we laten het ons niet afpakken! Met die gedachte schrijft Paulus dat wie gelooft in Jezus, 'gemerkt is met het stempel van de heilige Geest'. Gods Geest, die in ons hart wil wonen, is het bewijs, het teken dat de gelovigen Gods eigendom zijn. Wie zich toevertrouwt aan Jezus mag zeker weten dat de Vader zegt: 'Jij bent van Mij!' Op welke toon zegt Hij dat? Wel, Jezus kennende, zegt God dat met trots, met een stralende blik, in onvoorstelbare liefde. En Hij zal ons bewaren, niets of niemand ontrooft Hem zijn kinderen. Ook zo bevestigt God dat zijn gelovigen toekomst hebben - de nieuwe aarde ligt voor hen in het verschiet; een kwestie van tijd en ze zijn er!

Zaterdag 6 september

Lezen: Efeziërs 1:15-19

...dank ik God onophoudelijk voor u en noem ik u in mijn gebeden. (vs. 16)

Iemand zei eens: 'Ik ken u!', waarop die ander reageerde met: 'Dat is de vraag.' Want het is nogal wat – iemand echt kénnen. Wij kennen elkaar altijd maar ten dele, we hebben altijd weer onvermoede kanten.

Dat geldt tussen mensen. Het geldt helemaal in de relatie met God. Paulus beseft dat wanneer hij aan de Efeziërs denkt. Hij dankt voor hun geloof in Jezus, dat zich uit in hun liefde voor de andere kinderen van God. Zij hebben God leren kennen en het is vruchtbaar in hun leven. Tegelijk beseft hij dat hun kennis nog lang niet volkomen is. Daarom bídt hij voor hen dat hun kennis zich voortdurend verdiept. Want God leren kennen betekent vooral steeds meer ontvankelijk worden voor de liefde waarin Hij zich te kennen geeft!

Zondag 7 september

Lezen: Efeziërs 1:20-23

Die macht was ook werkzaam in Christus toen God Hem opwekte uit de dood... (vs. 20)

Al eeuwenlang belijdt de kerk: 'Ik geloof in God de Vader, de Almachtige.' Maar ook al eeuwenlang roept dat 'almachtige' vragen op. Hoe blijkt dan die grote macht?

Paulus schrijft in de verzen die we vandaag lezen dat God zijn macht onder andere getoond heeft in de opwekking van zijn Zoon uit de dood én dat Hij Hem heerschappij gaf over alle machten, zeker over de kwáde geesten. En Gods liefde blijkt dan daarin dat Hij zijn Zoon als de Machtige aan zijn kérk geeft. Hij behoedt haar.

Dat God de Almachtige is, betekent niet dat er geen enkel kwaad geschiedt. Het betekent wel dat Gods volk veilig is, niet overwonnen wordt door het kwaad. Gods macht wil bewerken dat we in alle geweld tóch niet bang zijn...

Maandag 8 september

Lezen: Efeziërs 2:1-3

Net als zij lieten ook wij allen ons eens beheersen door onze wereldse begeerten... (vs. 3)

Soms willen we niet graag herinnerd worden aan ons verleden. We schamen ons ervoor, opnieuw of alsnog...

Paulus herinnert de Efeziërs wel aan vroeger, aan de tijd vóórdat zij tot geloof in Christus kwamen. Hij schetst geen rooskleurig beeld: zonder contact met God waren ze onderworpen aan de macht van de boze, egoïstisch in hun denken en doen. Opmerkelijk, hij zegt: 'wij', dus hij zegt het ook van zichzelf. Schaamt hij zich daarvoor dan niet? En brengt hij zijn medegelovigen niet in verlegenheid?

Neen. En dat komt doordat een christen zijn verleden niet hoeft te verdoezelen. Hij, zij mag het erkennen en er om Jezus' wil vergeving voor ontvangen. Dan wéét je het nog wel, maar het hééft je niet meer, het is door Jezus weggedragen.

Dinsdag 9 september

Lezen: Efeziërs 2:4-6

...samen met Christus levend gemaakt. (vs. 5)

Tot geloof komen omschrijft de bijbel, zoals Paulus dat hier ook doet, als een overgang van dood naar leven. Met andere woorden: een immens gróte verandering. Maar wat is de kern van die verandering?

Dat omschrijft Paulus met de twee woorden 'met Christus'. Het wezenlijke van het christelijk geloof is dat we verbonden zijn aan Hem. Aan de ene kant is dat doordat God ons aan Hem verbonden *ziet*, dus als mensen die met Christus zijn opgestaan. Aan de andere kant zijn we aan Hem verbonden doordat wij ons in de kracht van de Geest *aan Hem toevertrouwen* en Hem erkennen als onze Leidsman. In veel kerken wordt in een oud formuliergebed bij het vieren van het avondmaal gebeden: 'Geef ons, dat wij niet meer in onze zonden leven, maar Christus in ons en wij in Hem.' Inderdaad, een totaal ander leven...

Lezen: Efeziërs 2:7-10

Zo zal Hij, in de eeuwen die komen, laten zien hoe overweldigend rijk zijn genade is...
(vs. 7)

In veel boerderijen had je vroeger een 'pronkkamer', een kamer met de mooie spullen die de eigenaar vergaard had en die zijn rijkdom toonden.
Paulus zegt dat God ook gaat 'pronken'. Hij zal dat doen in de tijd vóór en ná Christus' wederkomst. Maar wat is dat pronken bij God anders dan bij mensen. Want bij mensen is het: 'Kijk eens wat ik allemaal héb', bij God is het: 'Kijk eens wat Ik allemaal gééf!' Paulus noemt dat de overweldigend rijke genade. Door Gods barmhartigheid leven er de eeuwen door, ook nu, steeds meer mensen, en straks op de nieuwe aarde een niet te tellen menigte, *als Jezus*. God zorgt er in zijn – voor ons onverdiende – goedheid voor dat mensen groeien in liefde tot Hem en tot elkaar. Geef u over aan die genade!

Lezen: Efeziërs 2:11-12

Bedenk daarom... (vs. 11)

Wij vinden het niet zo sterk als een verteller of een schrijver in herhaling valt. Is het zo ook een minpuntje als Paulus vanaf vers 11 de Efeziërs opnieuw aan hun verleden herinnert?
Toch niet. Want Paulus wil gaan beschrijven hoe Christus' sterven en opstanding een nieuwe eenheid tot stand brengt – Hij brengt zelfs Joden en heidenen samen! En dat is onvoorstelbaar. Want God had een hoge muur opgetrokken tussen Israël en de andere volken. Vele Joden voelden zich destijds ook veel beter dan 'die heidenen', de Efeziërs kunnen daarover meepraten. Maar nu, door Christus, komt er een wonderlijke eenheid: Joden en heidenen vinden elkaar omdat ze zich hebben laten vinden door Christus. Zouden op die manier ook vandaag de dag niet vele afstanden overbrugd kunnen worden? En ik én die ander sámen bij Christus.

Vrijdag 12 september

Lezen: Efeziërs 2:13-18

Dankzij Hem hebben wij allen door één Geest toegang tot de Vader. (vs. 18)

Iemand heeft eens gezegd: 'In het christelijk geloof draait het om Christus en gaat het om de Vader.' Dat is niet alleen mooi gezegd, het is ook bijbels. We herkennen het bijvoorbeeld in bovenstaand vers – dankzij Christus, door zijn offer aan het kruis en zijn opstanding uit de dood, mogen we zijn Vader benaderen. We hebben toegang tot het hemels paleis.

Maar Paulus noemt de Geest ook. En daarmee wil hij zeggen: áls we dan inderdaad door Jezus naar de Vader gaan, is dat te danken aan Gods Geest. Hij moedigt ons aan tot gebed en leert ons erin volharden. Hij doet dat bijvoorbeeld door de bijbel, door liederen, door contact met andere christenen. Als wij om wat voor reden ook moeite hebben om te bidden, neemt God zélf ons door zijn Geest bij de hand. Zo graag wil Hij contact met ons!

Zaterdag 13 september

Lezen: Efeziërs 2:19-22

...in wie u ook samen opgebouwd wordt tot een plaats waar God woont door zijn Geest. (vs. 22)

Soms ben je geneigd om op de christelijke gemeente een bordje te bevestigen zoals je vroeger weleens op huizen zag: 'onbewoonbaar verklaarde woning'. Soms is er in Gods kerk niet te leven, zo veel narigheid is daar.

Hoe kijkt God tegen de gemeente aan? Paulus schrijft dat de gelovigen uit de volken samen met de gelovigen uit Israël een huis zijn waar God woont door zijn Geest. Een gemeente is een woning waar de Geest 'heer des huizes' is. God kennende wil dat niet zeggen dat Hij zijn ogen sluit voor de narigheid. Integendeel, Hij is er altijd weer op uit om dingen ten goede te veranderen en om te bemoedigen als we weer pijn en teleurstelling oplopen. Zullen we daarom proberen de kerk niet af te schrijven? God doet het ook niet...

Zondag 14 september

Lezen: Efeziërs 3:1-6

...dat God mij de taak heeft toevertrouwd om de genade door te geven die mij met het oog op u geschonken is. (vs. 2)

Niet alles is zoals het lijkt. Zo is dat ook met Paulus. Hij zit gevangen. Is hij dan een misdadiger? Neen, hij zit daar omdat hij uit genade van God de opdracht heeft om Gods mysterie, zijn geheim, bekend te maken. Wat is dat geheim? Dat God zijn Zoon gaf en dat Joden en niet-Joden in Hem één volk vormen, samen kinderen van God. Paulus mag verkondigen hoe breed Gods genade is, hoe ver zijn liefde reikt.

Maar dat kan toch geen reden zijn om Paulus gevangen te zetten? Soms wel, want deze blijde boodschap roept bij sommigen weerstand op. Ze beseffen dat genade betekent dat je Gods liefde niet kunt verdienen en dat je geroepen wordt om lief te hebben zoals God dat doet. Genade is dat je vanuit een andere veiligheid leeft dan die je zelf bouwde... Waag het!

Maandag 15 september

Lezen: Efeziërs 3:7-13

Mij, de allerminste van alle heiligen... (vs. 8)

Wat is nu eigenlijk 'genade'? Je kunt het omschrijven als onverdiende goedheid, het is dat je iets krijgt waar je geen recht op hebt, integendeel! Maar wát krijg je dan?

Paulus noemt zichzelf de allerminste van alle heiligen. Daarbij denkt hij aan zijn verleden: hij heeft Christus' gemeente vervolgd. Hij heeft zó veel leed aangericht in levens van Jezus' volgelingen! En toch - God heeft hem geroepen om het goede nieuws bekend te maken. God vergaf Paulus' wandaden. Hij gunde het hem om in plaats van Hem tegen te werken met Hem mee te werken!

Dat is genade - dat we in dienst van God komen. Dat we tot zegen zijn. Dat anderen in ons iets zien van Gods onvoorstelbare liefde. En daaruit blijkt wel: genade vernedert niet, maar verhoogt. Gods goedheid is een zégen...

Dinsdag 16 september

Lezen: Efeziërs 3:14-19

Daarom buig ik mijn knieën voor de Vader... (vs. 14)

Paulus buigt zijn knieën. Hij valt in dankbaarheid en aanbidding neer voor zijn Vader in de hemel die een Vader wil zijn van Joden en niet-Joden. Hoe bestaat het, dat die heilige God er zo veel voor overheeft om verloren mensen te redden?! Wie dat op zich laat inwerken, kan niet beter doen dan Hem vragen om hulp om zich steeds meer aan Hem toe te vertrouwen en zich open te stellen voor Gods Geest. Stel je voor dat we door de heilige Geest vol worden van de Here Jezus, dat Hij ons leven beheerst. Zijn liefde zal dan in een ieder van ons zichtbaar zijn. Ieder zal ten slotte kunnen vertellen wat de Heer in zijn of haar leven gedaan heeft. Dat alles bij elkaar wordt één groot loflied op de oneindige liefde van God. Wat is Hij groot! Wat is Hij goed voor kleine mensen als wij.

Woensdag 17 september

Lezen: Efeziërs 3:20-21

...aan Hem komt de eer toe... (vs. 21)

Mensen die zichzelf gewichtig vinden zijn er bij de vleet. En als ze het niet zijn, doen ze toch vaak alsof. Het zit ons allemaal in het bloed om onszelf groot te maken, onszelf belangrijker voor te doen dan we zijn. Vaak gaat dat ten koste van anderen.

Bij God is het anders. Hij doet zich niet groter voor dan Hij is. Hij is gewoon een groot God, maar Hij is het niet ten koste van ons. Integendeel, Hij zet zijn grootheid, zijn macht in om ons te redden. Hij tilt ons op uit onze verlorenheid en verheft ons tot zijn kinderen. Wat Hij voor ons heeft gedaan door zijn Zoon, wat Hij nog steeds doet en wat Hij nog doen zal - je raakt er niet over uitgedacht en uitgepraat. Je krijgt de indruk dat ook de apostel Paulus woorden tekortschieten. God is altijd groter dan wij denken. Hem zij alle eer. Voor eeuwig en altijd. Amen. Zo is het!

Donderdag 18 september

Lezen: Efeziërs 4:1-6

...de weg te gaan die past bij de roeping die u hebt ontvangen... (vs. 1)

Soms begin je ergens met plezier aan, maar valt het gaandeweg tegen. Dan bekoelt je enthousiasme. Zo kan het ook gaan ten aanzien van het geloof. De Heer roept je en je komt. Je wilt Hem volgen, maar je bent niet de enige. Er zijn meer volgelingen. Het zijn niet mensen die jij allemaal gekozen hebt. Sommigen liggen je niet zo. Er zijn er ook met wie je op een aantal punten van mening verschilt. Weer anderen zijn ronduit lastig. Is het een wonder dat je liefde dan verkilt?

Paulus roept ons tot de orde. Tot de orde van Christus die zondaars liefhad tot de dood. Als je naar mensen kijkt, word je soms moe. Kijk naar God, zegt Paulus, God die de Vader is van ons allen. Bedenk dat Christus ons samenbracht. Laat je leiden door zijn Geest. Dan kun je verder in zijn spoor.

Vrijdag 19 september

Lezen: Efeziërs 4:7-12a

Aan ieder van ons is genade geschonken... (vs. 7)

Christus' hemelvaart is een zegetocht. Hij heeft de boze verslagen en bestijgt nu als koning de troon. Royaal deelt Hij genadegaven uit. Als je Hem kent, weet je meteen dat zijn gaven aan jou er niet zijn voor jezelf alleen, laat staan om je erop te verheffen. Zo gaat het bij Christus niet. Hij kwam immers niet om te heersen, maar om te dienen. In dat licht moet je zijn gaven ook zien. Gelovigen die de genadegave gekregen hebben om in de gemeente een ambt of een functie te vervullen, zijn geen baasjes. Ze zijn er om hun broeders en zusters te dienen. 'DIENST', dat woord staat in grote letters boven de gemeente van Christus, dát stempelt de onderlinge omgang met elkaar. De minste is de meeste. Dat kan niet anders bij een Meester die zelf de allerminste was.

Zaterdag 20 september

Lezen: Efeziërs 4:12b-13

Zo wordt het lichaam van Christus opgebouwd... (vs. 12b)

Hoe vaak is het in gemeenten van Christus niet gebeurd dat bepaalde mensen (ambtsdragers of andere deskundigen) alle taken in de gemeente voor zichzelf opeisten? 'Gewone' gemeenteleden hoefden zich nergens mee bezig te houden. Paulus ziet dat anders. Ambtsdragers zijn er niet om medegelovigen werk uit handen te nemen. Ze zijn er juist om ervoor te zorgen dat iedereen meedoet, dat ieder zijn of haar gave gebruikt om anderen te dienen. Als gelovigen behoren we elkaar te vertroosten, elkaar te vermanen, elkaar te onderwijzen, kortom: elkaar op allerlei manieren te helpen. Ambtsdragers gaan ons voor op die weg. Zo bouwen we als gemeente van Christus onszelf op door de dienst van ieder lid afzonderlijk. Christus heeft met zijn gaven niemand overgeslagen. Iedereen kan iets doen, u dus ook. Doet u het?

Zondag 21 september

Lezen: Efeziërs 4:14-16

Dan zullen we ... samen volledig toe groeien naar Hem die het hoofd is: Christus. (vs. 15)

Zoals een kind moet opgroeien tot volwassenheid, moeten gelovigen geestelijk volwassen worden. Het moeten mensen worden die, wat hun geloof betreft, op eigen benen kunnen staan. Dat gebeurt wanneer ze een hechte band met Christus hebben en weten wat Hij wil. Als je afhankelijk blijft van anderen, heb je nooit zekerheid, maar word je heen en weer geslingerd van de ene opvatting naar de andere. Christus zelf moet je houvast zijn. Je moet je houden aan Hem en je medegelovigen liefhebben met zijn liefde. Zo bouw je elkaar op en groei je samen steeds meer naar Hem toe. Het gaat erom dat Hijzelf gestalte in ons krijgt doordat wij zijn werk doen en Hij door ons zichtbaar wordt in deze wereld. Het is mede door ons dat Hij zijn koninkrijk doet komen.

Maandag 22 september

Lezen: Efeziërs 4:17-24

Door Jezus wordt duidelijk ... dat u de nieuwe mens moet aantrekken... (vs. 21, 24)

De heidenen zitten op slot. Ze zijn opgesloten in zichzelf, verslaafd aan hun eigen 'ik'. Ze zijn altijd bang dat ze tekort zullen komen. Hier en nu moet het gebeuren. Je moet ervoor zorgen dat je zo veel mogelijk aan je trekken komt, want – zo zeggen ze – je leeft maar één keer! Christenen weten beter. Zij zijn door Christus bevrijd van de verslaving aan eigenbelang. Zij weten van een beter leven, van het leven van Christus die vrij was om lief te hebben en te dienen en die opstond uit de dood. Zijn leven is pas echt wat je 'leven' noemt. Dát leven moet je zoeken, zegt Paulus. Zoals je elke morgen kleren aantrekt, zo moet je elke dag Christus aandoen door je op Hem te richten en je te laten leiden door zijn Geest. Bent u goed gekleed?

Dinsdag 23 september

Lezen: Efeziërs 4:25-33

Maak Gods heilige Geest niet bedroefd... (vs. 30)

Christus heeft de waarheid aan het licht gebracht, de werkelijkheid van het leven met God, het leven in zijn liefde. Het gaat er niet om dat je zo veel mogelijk naar jezelf toe trekt, maar dat je deelt. Je moet jezelf niet verheffen door grootspraak en schelden op anderen, maar je moet je naaste willen opbeuren en bemoedigen. In plaats van je eigen recht te zoeken en mensen die jou te na gekomen zijn te haten, moet je hun zonden vergeven en het goede voor hen zoeken. Dat alles gaat natuurlijk niet vanzelf. Daarvoor gaat het te veel in tegen vlees en bloed. Je moet ervoor kiezen, je moet bewust Christus aantrekken. Láát je leiden door zijn heilige Geest. Doe je het niet, dan maak je de Geest bedroefd. Hij wil je helpen, maar jij wilt dat niet. Dát is nu echt wat je noemt 'zonde'.

Lezen: Efeziërs 5:1-2

...ga de weg van de liefde, zoals Christus... (vs. 2)

Goed voorbeeld doet goed volgen, wordt er wel gezegd. Paulus wekt ons op om het voorbeeld te volgen, dat God ons heeft gegeven in zijn Zoon. Want hoe heeft Christus ons liefgehad! Ónze liefde is vaak een beetje egoïstisch. Je hebt dan lief omdat het je zo'n goed gevoel geeft, omdat je er zelf zo gelukkig van wordt. Op die manier blijft het draaien om jezelf en je eigen geluk. Bij Christus was het anders. Hij had lief met een liefde die zichzelf niet zoekt. Wij waren soms helemaal niet lief en aardig, maar Hij bleef aardig voor ons. Hij bleef het goede voor ons zoeken, ook toen Hij er zelf doodongelukkig door werd en de hel door moest gaan. Zo'n liefde als bij Hem is er bij ons van nature niet. Die moeten we telkens weer van Hem leren. Doe het, zegt Paulus. Ga de weg van zijn liefde.

Lezen: Efeziërs 5:3-8

...eens was u duisternis maar nu bent u licht... (vs. 8)

Geld en seks zijn dingen waar je van genieten kunt. Je kunt het zien als gaven van God. Maar Satan kan die goede dingen bederven en maar al te vaak doet hij dat ook. Los van God gaan ze heel gauw een veel te grote rol spelen. Genotzucht en hebzucht - wat laten veel mensen zich daardoor beheersen. Natuurlijk geven mensen dat niet graag toe. Je hoort haast nooit iemand zeggen: 'Ik ben hebzuchtig', of: 'Ik leef voor de seks.' Mensen proberen het meestal te verbergen. Logisch ook, want het zijn dingen van de duisternis, dingen waarvan ze liever niet hebben dat ze aan het licht komen. Paulus zegt tegen ons: 'Jullie zijn zelf aan het licht gekomen als zondige mensen die door Christus gered zijn.' Blijf in het licht. Blijf bij Christus. Leef, ook wat geld en seks betreft, vanuit Hem en niet vanuit je eigen duistere begeerten.

Vrijdag 26 september

Lezen: Efeziërs 5:9-14

Maar alles wat door het licht ontmaskerd wordt, wordt openbaar... (vs. 13)

Als je met Christus verbonden bent, komt je leven er heel anders uit te zien. Je kunt het vergelijken met een lamp die in een fitting wordt gedraaid. Die lamp op zich doet niets, maar aangesloten op het stroomnet geeft hij licht. Zo is het ook met christenen. Het goede dat ze doen, hebben ze niet aan zichzelf maar aan Christus te danken. Het is zijn Geest die in hen werkt en die hen vrucht doet dragen. Op die manier worden ze zelf als lichten die schijnen in het donker. Door hun woorden en daden worden duistere praktijken aan de kaak gesteld en wordt duidelijk dat zonde niet normaal is. Naar Gods bedoeling hebben christenen een voorbeeldfunctie. Mensen die in het duister leven worden door hen beschenen met de bedoeling dat ze zich bekeren.

Zaterdag 27 september

Lezen: Efeziërs 5:15-20

Let dus goed op welke weg u bewandelt... (vs. 15)

Christenen hebben een grote verantwoordelijkheid ten aanzien van hun medemensen die in het donker leven. Juist daarom moeten ze oppassen dat ze zelf de goede weg niet kwijtraken. Dat gevaar is altijd aanwezig, vooral ook in tijden waarin de boze kans ziet om velen te misleiden. Het kwaad kan zo algemeen verbreid zijn en zo sterk, dat je haast als vanzelf met anderen gaat meedoen. Het is zo gemakkelijk om te leven vanuit jezelf en op te komen voor jouw rechten, ook als dat ten koste van anderen gaat. Voor hebzucht en genotzucht is ook een christen niet immuun. Christelijk leven gaat echt niet vanzelf. Je moet er iets voor doen. Je moet heel bewust de Heer zoeken en je richten op wat Hij wil. Als je Hem betrekt bij alles wat je doet en je je laat leiden door zijn Geest, dan blijf je op de weg van het licht en maak je God groot.

Zondag 28 september

Lezen: Efeziërs 5:21-24

Vrouwen, erken het gezag van uw man... (vs. 22)

'Vrouwen, erken het gezag van uw man', wat klinkt dat vrouwonvriendelijk. Je waant je weer helemaal in de tijd van vroeger, de tijd dat de man de baas was en de vrouw weinig of niets had in te brengen. Geen wonder dat vrouwen gingen protesteren en dat het feminisme ontstond. Het gaat er in de wereld altijd weer om wie de baas is. Maar in het koninkrijk van God is het anders. Ook Jezus was anders. Hij kwam om te dienen. Hij zei: 'Wie de minste is, die is de meeste.' Dienen, onderdanig zijn, is geen schande. Jezus stelde er zijn eer in. Dát moeten wij elke dag weer van Hem leren, wij die zo geneigd zijn om voor niemand onder te willen doen. 'Vrouwen, wees maar de minste', zegt Paulus. Hij zegt dat met het oog op Christus die de allerminste was. In feite zegt hij: 'Vrouwen, volg in het huwelijk jullie Heer, want dat is jullie eer.'

Maandag 29 september

Lezen: Efeziërs 5:25-30

Mannen, heb uw vrouw lief... (vs. 25)

Mannen moeten hun vrouw liefhebben zoals Christus de kerk heeft liefgehad. Dat betekent dat ze bereid zijn om zichzelf te verloochenen ter wille van hun vrouw. Christus zocht immers vóór alles het belang van zijn gemeente. Daarvoor liet Hij zich zelfs kruisigen. De man is het hoofd van zijn vrouw, zoals Christus het hoofd is van zijn gemeente. 'Hoofd zijn', dat is 'de eerste zijn', juist ook de eerste om te dienen. Het is 'gezag hebben', jazeker, maar dan wel het gezag van de liefde die zichzelf niet zoekt. In de wereld zijn veel echtverenigingen in feite vechtverenigingen omdat ieder zichzelf zoekt en de een voor de ander niet wil onderdoen. Naar Gods wil is een huwelijk een wedstrijd in dienstbaar zijn, waarin de man voorop gaat en de vrouw volgt. Twee die elkaar willen dienen – wat wordt dat een gelukkig huwelijk!

Lezen: Efeziërs 6:1-4

Kinderen, wees gehoorzaam aan je ouders... (vs. 1)
Vaders ... vorm en vermaan hen ... zoals de Heer dat wil. (vs. 4)

Christus volgen, dat moet je als man en vrouw in je huwelijk, maar ook als ouders en kinderen. Zoals Jezus als kind Jozef en Maria gehoorzaamde en Hij zijn leven lang de wil van zijn hemelse Vader deed, zo behoren kinderen hun ouders te respecteren en te gehoorzamen. Dat betekent overigens niet dat ouders de baas zijn, laat staan dat ze de baas mogen spelen. Hun kinderen zijn niet hun bezit. Het zijn, net zoals zij zelf, kinderen van God, die Christus moeten leren volgen. Dáár is de opvoeding op gericht, dat kinderen opgroeien tot mensen van God, volwassenen die verantwoordelijkheid kunnen dragen en die Christus volgen. Met het oog daarop is het van levensbelang dat de ouders zelf het goede voorbeeld geven door hun kinderen voor te gaan in het volgen van Christus.

Woensdag 1 oktober

Lezen: Handelingen 14:8-18

Wat doet u toch? (vs. 15)

Het zal je maar gebeuren: mensen die jou een offer willen brengen. Het overkwam Paulus en Barnabas in Lystra. Nu is het natuurlijk ook niet niks wat eraan voorafging. Een man, al vanaf zijn geboorte verlamd, kon opeens lopen. Dankzij deze apostelen. Hoewel, ten diepste dankzij God! Daarom moet Hij alleen de eer ontvangen.

'Wat doet u toch?' Soms kan dat ook tegen ons gezegd worden. Dan krijgt het schepsel meer eer dan de Schepper. Zullen we Hem vandaag loven en prijzen met heel ons hart? Zo worden de dingen waardoor we lamgeslagen zijn, doorbroken. We hebben een God die ons wil oprichten en met ons wil meegaan op onze levensweg. 'Wat doet u toch?' Allerlei afgoden achterna rennen is doodvermoeiend, maar als je God gaat verheerlijken kom je tot je bestemming – als kind bij Vader.

Donderdag 2 oktober

Lezen: Handelingen 14:19-20

Ze stenigden Paulus... (vs. 19)

'Heden hosanna, morgen kruisigt Hem!' Zo ging het met Jezus, zo ging het ook met Paulus. Eerst werd hij in Lystra als een god vereerd maar even later werd hij bedolven onder de stenen. De gunst van mensen kan heel grillig zijn. Je bent beter af met de goedertierenheid, de verbondstrouw van God. Hij is erbij als mensen je onheus bejegenen, als je kwaad wordt aangedaan. De bijbel staat er vol van om je ervan te overtuigen dat je hart te midden van het grootste verdriet toch gerust is in God. Nee, dat heb je niet van jezelf; het is wel gratis te krijgen. De stenen vielen op Paulus neer en men dacht dat hij dood was. Maar toen de gelovige broeders en zusters om hem heen kwamen staan, stond hij op om zijn weg te vervolgen. Zouden wij het ook maar niet doen? In geloof om iemand heen gaan staan die onrecht lijdt? Zo help je hem overeind.

Vrijdag 3 oktober

Lezen: Handelingen 14:21-28

...na veel beproevingen... (vs. 22)

Op hun terugreis naar Antiochië - de gemeente die hen heeft uitgezonden - doen Paulus en Barnabas er alles aan om de gelovigen te bemoedigen. Want u zult zich kunnen voorstellen dat het niet altijd eenvoudig was om Jezus te volgen te midden van een vijandige omgeving. Misschien herkent u daar wel iets van. Voor je geloof en voor je principes uitkomen op school of onder je collega's, kan pesterijen tot gevolg hebben. Maar Paulus zegt dat God ons zo op de proef stelt. Hij toetst ons. Net als bij het zilver in de smeltoven haalt Hij het vuil weg. Zo zuivert en verdiept Hij ons geloof. Sta daar nog eens bij stil als het kruis achter Jezus je neerdrukt. Je wordt beproefd en gelouterd. Zonder dat kun je het koninkrijk van God niet binnengaan. De dichter van Psalm 119 zegt zelfs dat zulke druk voor hem goed is geweest.

Zaterdag 4 oktober

Lezen: Handelingen 15:1-2

...anders niet ... gered. (vs. 1)

Paulus en Barnabas zijn weer teruggekeerd naar de gemeente in Antiochië. We kunnen ons voorstellen hoe de ontvangst was: een gemeenteavond vol mensen die met open mond naar de apostelen luisteren. De verhalen over mensen die tot geloof waren gekomen, hebben hen natuurlijk diep vanbinnen geraakt. Maar ja... dan zijn er toch een paar broeders uit Jeruzalem die een kritische vraag stellen: 'Toen die heidenen tot geloof kwamen, zijn ze toen ook besneden?' Paulus en Barnabas kijken elkaar eens aan. Nee, dat is niet gebeurd. Maar de besnijdenis is toch het teken van Gods verbond? Daardoor mag je toch weten bij het volk van God te horen? Jawel, maar de vraag is of we nu worden gered door de besnijdenis, door de doop, of door het geloof in Jezus. Laten we toch vooral letten op het meest wezenlijke: de verbondenheid met de Heiland.

Zondag 5 oktober

Lezen: Handelingen 15:3-4

Daar verhaalden ze uitvoerig over de bekering van de heidenen... (vs. 3)

Wanneer heidenen, niet-Joden dus, tot geloof komen, moeten ze dan ook worden besneden? Daar werd verschillend over gedacht. Daarom werd een delegatie, onder wie Paulus en Barnabas, vanuit Antiochië naar Jeruzalem gestuurd om deze vraag voor te leggen aan de apostelen en de oudsten. Bespreken ze dit punt onderweg dan alvast met de gelovigen die ze tegenkomen? Nee, ze hebben het over iets anders, over de grote daden van God. Stelt u zich eens voor dat u op het eerstvolgende verjaardagsfeest zou kunnen vertellen dat iemand in uw omgeving tot bekering is gekomen. Ik hoor het weleens zeggen: 'Een tijd lang ging ik niet naar de kerk, maar opeens was er toch de drang om weer te gaan.' Of iemand zegt: 'Ik wil zo graag de hele dag door met God leven. Zijn leiding ervaren, ook in de gewone alledaagse dingen.' Bid dat je ook zo'n verteller mag zijn!

Maandag 6 oktober

Lezen: Handelingen 15:5-11

...Hij heeft hen door het geloof innerlijk gereinigd. (vs. 9)

Als het gaat om het vraagstuk van de besnijdenis, gebeurt in Jeruzalem hetzelfde als in Antiochië. Broeders afkomstig uit de kring van de Farizeeën geven aan dat ook de gelovigen uit de heidenen de besnijdenis moeten ondergaan. Maar dan komt Petrus aan het woord. Hij vertelt wat hij in Caesarea heeft meegemaakt in het huis van de heiden Cornelius. Aanvankelijk zou geen haar op z'n hoofd erover gedacht hebben om bij hem binnen te stappen, maar hij kreeg een visioen van God. Hij mocht niet afwijzend staan tegenover hetgeen God rein had verklaard. En wat gebeurde er toen in het huis van Cornelius? De heilige Geest werd uitgestort in onbesneden lichamen. Hoe dat kon? Omdat God het wezen van de besnijdenis al had uitgevoerd in hun hart. Ze waren vanbinnen gereinigd door het geloof. Prachtig is dat: je bent rein door op Jezus te vertrouwen.

Dinsdag 7 oktober

Lezen: Handelingen 15:12-21

...evenals alle heidenen... (vs. 18)

Tijdens de apostelvergadering in Jeruzalem brengt Petrus een praktijkervaring in: zijn ontmoeting met Cornelius in Caesarea. Hij onderbouwt zijn optreden vanuit de schriften, waarbij hij de profeet Amos citeert. Al vele jaren vóór Christus heeft deze godsman gezegd dat ook niet-Joden bij het huis van David mogen horen. Voor hen geldt niet dat zij eerst besneden moeten worden. Met de komst van Jezus bouwde God het vervallen huis van David weer op en mogen zelfs heidenen in deze restauratie delen. Eigenlijk is de enige voorwaarde het zoeken van God. Ik moet denken aan Simeon in de tempel. Ook hij wist dat God redding had bewerkt ten overstaan van alle volken in Jezus, het Licht voor de wereld. Schitterend dat ook wij in dit Licht mogen wandelen.

Woensdag 8 oktober

Lezen: Handelingen 15:22-29

...geen andere verplichtingen ... dan wat strikt noodzakelijk is. (vs. 28)

Tijdens de apostelvergadering in Jeruzalem is besloten om gelovigen uit de heidenen geen zwaarder juk aan regels op te leggen dan noodzakelijk. Als door het geloof je hart gereinigd is, dus 'besneden', dan is lichamelijke besnijdenis overbodig. De gedachte dat je zonder besnijdenis niet gered kunt worden, wordt duidelijk afgewezen. Van de vele geboden blijven er nog maar vier over: 1) geen afgoderij; 2) geen hoererij; 3) geen vlees waar nog bloed in zit en 4) geen bloed nuttigen, want bloed heeft met het leven te maken. Zo werd een dreigend conflict onder leiding van Gods Geest in de kiem gesmoord. Weet u, soms kunnen meningsverschillen over uiterlijke tekenen de gemeente verkillen. Waar het op aankomt is de besnijdenis van het hart, de overgave in het geloof aan God.

Donderdag 9 oktober

Lezen: Handelingen 15:30-35

...verheugde de gemeente zich... (vs. 31)

Een gemeente die zich verheugt. Dat is prachtig! Bijvoorbeeld over een belijdenisdienst. Soms gebeurt het dan dat iemand die niet bij het geloof werd opgevoed, ook nog wordt gedoopt. Pas hoorde ik over ouders die voorafgaand aan de doop van hun kind een brief voorlazen, waarin ze een getuigenis gaven over hun geloof en hun motivatie. Dat is bemoedigend voor de grootouders van de dopelingen én voor heel de gemeente.

In Antiochië is men blij met de bemoedigende brief vanuit Jeruzalem. Mensen die hun leven op het spel hebben gezet voor de naam van de Heer Jezus, brengen de brief persoonlijk. De gelovigen uit de heidenen krijgen geen onnodige verplichtingen opgelegd. Het houden van de Noachietische geboden is voldoende. Het meest wezenlijke is hun liefde voor de Heiland, het leven uit zijn offer.

Vrijdag 10 oktober

Lezen: Handelingen 15:36-41

...grote onenigheid... (vs. 39)

Onenigheid onder gelovigen. Voor sommigen is dat een reden om kerk en geloof de rug toe te keren. Maar is dat terecht? Je gelooft toch niet in mensen! Het gaat toch om het volgen van Jezus! In Handelingen 15 ontstaat onenigheid tussen Paulus en Barnabas. Barnabas wil zijn neef Johannes Marcus meenemen op hun tweede zendingsreis, maar Paulus is daarop tegen. De vorige keer had deze Johannes Marcus hen in de steek gelaten. Barnabas wil het nog een keer met hem proberen, maar Paulus niet. De vraag wie er gelijk heeft wordt niet beantwoord. Het wonderlijke is wel dat nu tweemaal twee mensen op zendingsreis gaan. Dus toch nog iets positiefs. Later is deze onenigheid gelukkig weer bijgelegd. Voor ons een les: verkijk je niet op mensen. De ogen gericht houden op Jezus is belangrijker!

Lezen: Handelingen 16:1-3

Hij liet hem eerst besnijden ter wille van de Joden... (vs. 3)

Merkwaardig, dat Paulus Timoteüs laat besnijden voordat hij hem meeneemt op zijn zendingsreis. Men had eerder toch anders besloten in zulke kwesties? In ieder geval doet hij het niet omdat er aan het geloof in de Heer Jezus nog iets toegevoegd moet worden. We worden niet vrijgesproken door wetswerken, maar door vrije genade. Bedenk dat Paulus op zijn zendingsreizen gewend was om eerst naar de synagoge te gaan. Hij wilde zijn volksgenoten benaderen met het evangelie en dan zou het onbesneden zijn van Timoteüs belemmerend werken. Paulus laat hem besnijden opdat niets het evangelie in de weg zou staan. Hij werd voor de Joden een Jood en voor de Grieken een Griek om hen maar te kunnen behouden. Voor zover het woord van God het toeliet, paste Paulus zich aan. Dat lijkt me een waardevol principe als je mensen wilt bereiken met het evangelie.

Lezen: Handelingen 16:4-5

De gemeenten werden steeds sterker in het geloof... (vs. 5)

Als je als predikant te gast bent in een andere gemeente, wordt weleens gevraagd: 'Hoe gaat het bij u in de gemeente?' Als het kan, probeer ik iets inhoudelijks te zeggen. Dat de kerkenraad gelukkig weer voltallig is of dat er een mooie groep belijdeniscatechisanten gevormd kon worden. Ik geloof niet dat ik ooit gezegd heb dat de gemeente steeds sterker wordt in het geloof. Daar verlang ik wel naar. Maar hoe valt dat te constateren? In ieder geval werden de gemeenten in Klein-Azië tijdens de tweede zendingsreis van Paulus ook gesterkt door de steun vanuit de gemeente van Jeruzalem. Zo kwam er ruimte voor opbouw en toerusting. Met elkaar moeten we erop bedacht zijn om de dwaalleer geen ruimte te geven. Het gaat om Jezus alleen. We worden alleen gered doordat we ons gelovig aan Hem toevertrouwen, door 'amen' te zeggen op zijn liefde.

Maandag 13 oktober

Lezen: Handelingen 16:6-10

...omdat ze door de heilige Geest werden verhinderd... (vs. 6)

Over het werk van de Geest kun je veel zeggen. De Geest overtuigt van zonde en gerechtigheid. De Geest verheerlijkt Jezus en zet Hem in het volle licht. Hier wordt gezegd dat de heilige Geest blokkades opwerpt. Dat hebben Paulus en de zijnen ervaren. Ze wilden in bepaalde streken het woord van God verkondigen, maar werden een andere kant op gestuurd. Uiteindelijk is zo het evangelie van Jezus in Europa gekomen. God zij geprezen!
Als wij aan God vragen of Hij ons leven wil leiden, dan moeten we er rekening mee houden dat Hij soms dingen blokkeert. Dat kan een fikse teleurstelling zijn. Toch kom je misschien later tot de ontdekking dat het goed geweest is en dat God blijkbaar iets anders met je voorhad. We hebben een God die het kwade goed maakt.

Dinsdag 14 oktober

Lezen: Handelingen 16:11-15

De Heer opende haar hart... (vs. 14)

Deze zin raakt me diep. Het is zó mooi als een hart geopend wordt voor het evangelie van Jezus. Daar bloeit een mens van op! Lydia was afkomstig uit het gebied waar Paulus zojuist was geweest. Nu woonde ze in Griekenland. Ze had haar wortels in het heidendom, maar had zich in Filippi aangesloten bij de Joodse gemeenschap. Paulus treft haar en enkele andere vrouwen aan op een gebedsplaats bij de rivier. Een synagoge was er niet. De apostel vertelt hun over Jezus. In gedachten zie ik hem staan. Vanuit de schriften maakt hij duidelijk wie Jezus is: de Redder, de Overwinnaar van de dood. De woorden die Paulus spreekt, komen naar haar toe als vanuit de hemel. Op haar zoektocht had zij de echte vrede nog niet gevonden. Maar in Jezus vindt zij rust.

Woensdag 15 oktober

Lezen: Handelingen 16:16-18

Verlaat haar! (vs. 18)

Sommige mensen lijkt het boeiend om de toekomst te kunnen voorspellen, maar wat heb je eraan om te weten dat je een zware tijd tegemoet gaat? Als het daarbij blijft? Zou het niet veel beter zijn om je toekomst in Gods hand te leggen? Als je met God leeft, mag je weten dat Hij erbij is, zelfs als er een zware tijd voor je is aangebroken. Bijzonder is dat de waarzegster in Filippi reclame maakt voor de zaak van God. Ze wijst met de vinger naar Paulus en Silas en zegt dat ze mannen Gods zijn die vertellen hoe je gered kunt worden. Toch wijst Paulus deze 'gratis reclame' af: ze komt voort uit een verkeerde bron: deze vrouw leeft in de macht van de duisternis! Pas als ze daarvan bevrijd is, ervaart ze zelf de redding door Jezus! Daar gaat het uiteindelijk om: Paulus weerstaat wegwijzers die niet zelf delen in de goddelijke redding.

Donderdag 16 oktober

Lezen: Handelingen 16:19-24

...naar de binnenste kerker... (vs. 24)

Je vertelt over Jezus en het gevolg is dat je als een zware crimineel in het meest beveiligde gedeelte van de gevangenis wordt opgesloten. Je voeten in een blok hout geklemd. Hoe zou u reageren? Wellicht zou u toch wat voorzichtiger worden met uw evangeliserende activiteiten.
Ook nu worden talloze gelovigen slecht behandeld omdat ze Jezus volgen. Al jaren staat Noord-Korea aan de top van de landen met hevige christenvervolging. Toch zijn daar nog steeds gelovigen die het heerlijke evangelie niet voor zichzelf kunnen houden! Hoe houden zij dat vol?!
Dat staat beschreven in de bijbelverzen die op dit gedeelte volgen: Paulus en Silas bidden en zingen lofliederen. Door te spreken tot God en te zingen van Hem ontvangen mensen in hun concrete situatie kracht om staande te blijven in het geloof. Zo zijn ze een bemoedigend getuigenis van geloven!

Vrijdag 17 oktober

Lezen: Zacharia 1:1-4

Wees niet als jullie voorouders. (vs. 4)

De profeet Zacharia zal de komende weken onze aandacht krijgen. Als hij optreedt, heeft het volk Israël een lange ballingschap achter de rug. Ze zijn terug in hun land, maar het ligt in puin. Gelukkig laat God hen niet alleen en Hij spreekt tot hen, ook door Zacharia.

Het begint met een verrassende oproep om niet zo te handelen als hun voorouders. Ze moeten het anders doen. Door het wangedrag van hun voorgeslacht waren ze in ballingschap gekomen. Ouders en grootouders kunnen je op een verkeerd spoor zetten. Traditie is niet bepalend. Iedere generatie moet weer radicaal kiezen om Gods woord te horen. En te doen. Hebben we de moed om dit tegen onze kinderen te zeggen? Dan kan er wat veranderen in hun gedrag. Hebben we de moed tegenover onze familie om dit in praktijk te brengen? God geeft toekomst aan wie naar Hem luistert.

Zaterdag 18 oktober

Lezen: Zacharia 1:5,6

Toen kwam het volk tot inkeer... (vs. 6)

Het woord van God is niet alleen behulpzaam om mensen te troosten. Het bewijst ook goede diensten door mensen te vermanen. Soms staan bijbelteksten tegenover je. 'Het is een vriend die u uw feilen toont.' Zo wees Zacharia er namens God op dat de ellende gevolg was van de eigenzinnigheid van hun voorouders. Ze deden wat ze zelf wilden, het kwade, en ze luisterden niet naar de welgemeende waarschuwingen van God.

Het vraagt moed en karakter om naar vermaningen te luisteren. Je voelt je er gemakkelijk door aangevallen en schiet in de verdediging. Maar het volk kreeg moed door dat woord van God. Ze durfden het toe te geven. Daardoor luisterden ze naar God en kwam ook de weg naar herstel open. Want God spreekt niet om te kleineren, maar om te helpen.

Hebt u moed om naar kritiek te luisteren? Zeker als die van God komt? Dat is de weg naar herstel.

Zondag 19 oktober

Lezen: Zacharia 1:7-12

...hoelang zal het nog duren... (vs. 12)

Een visioen; een droomgezicht van God. Het laat symbolisch zien wat er gebeurt. God stelt zich op de hoogte van de toestand op deze wereld. Hij krijgt zijn berichten van over de hele aarde. En het is rustig op aarde, vredig en stil. Goed nieuws dus? Nee, want als er niets verandert blijft de toestand van het volk Israël hetzelfde. Ze hebben redding nodig en herstel. En de engel van de HEER roept om verandering. Gisteren en eergisteren lazen we hoe het volk werd opgeroepen tot verandering. Ook God moet dingen veranderen. Het kan toch niet zo blijven, het leed, het onrecht, de vervolgingen van de kerk? God moet ingrijpen; uiteindelijk zal Hij het koninkrijk van God volledig doen doorbreken in deze wereld!

Maandag 20 oktober

Lezen: Zacharia 1:13-17

...troostende en bemoedigende woorden... (vs. 13)

'Hoelang zult U nog boos zijn?' was de vraag waar we gisteren over lazen. Maar de boosheid van God heeft in de bijbel een grens. Hij kan niet te lang boos zijn op het volk dat Hij liefheeft. En zijn antwoord is troostend en bemoedigend. Uit zulke woorden leer je God kennen. Hij kan zeker boos worden over de zonde - maar wie tot Hem roept ontvangt troost en bemoediging.

Er komt redding, er gaat wat veranderen. De tempel wordt herbouwd en er komt weer voorspoed. Dat wil dus zeggen dat God weer in hun midden gaat wonen en hen gaat zegenen. Zo is God Israël genadig geweest. En de wereld! Want zo kon in Israël later Jezus geboren worden, die Gods boosheid over onze zonden heeft veranderd in liefde - Hij bracht verzoening en droeg onze zonden aan het kruis. Wat een troost en bemoediging!

Dinsdag 21 oktober

Lezen: Zacharia 2:5-9

...dat Jeruzalem een open stad zal blijven... (vs. 8)

Een stad heeft een muur nodig, dat weet iedereen in Israël. Ook Jeruzalem. Want zonder muur ben je kwetsbaar. Wanneer God belooft dat Jeruzalem zal worden herbouwd, dat er een nieuw Jeruzalem komt, ligt het voor de hand te gaan meten en een bouwtekening te maken. Waar zou de muur het beste kunnen komen? Maar dit visioen toont Zacharia hoe geweldig de toekomst is die God voor Jeruzalem heeft. Er zullen zo veel mensen en dieren wonen, er kan geen muur omheen. Maar hoe moet dat dan met de bescherming? God zelf zal bescherming bieden, Hij is een muur om hen heen, een muur van vuur, ondoordringbaar. Het is duidelijk dat dit veel verder gaat dan het Jeruzalem op aarde. Hier is zichtbaar het grote plan van God om een nieuwe hemel en een nieuwe aarde te brengen. Een nieuw Jeruzalem zoals Johannes het later zag in Openbaring 21.

Woensdag 22 oktober

Lezen: Zacharia 2:14-17

Zij zullen mijn volk zijn... (vs. 15)

God keert terug naar zijn volk; dat is de belofte die de mensen van Israël heeft getroost. Ze leken een speelbal van de machten, maar het zal goed komen. En het wordt nog veel mooier: God zal niet alleen het volk Israël als zijn volk verzorgen, ook de andere volken worden geroepen om bij God te horen. Ook zij zullen zijn volk zijn. God heeft zo veel geluk en heil dat het te veel is voor Israël alleen. Hij gaat zo'n grote verlossing brengen dat de hele wereld ervan kan profiteren.

In de tijd van Zacharia wisten ze er al heel wat van, die toekomst die God voor de wereld in petto heeft. Er was eerst vijandschap: de volkeren plunderden Israël. Maar het wordt vrede, vrede bij God en vrede door God. Is het niet een wonder van genade wanneer ook wij volk van God zijn?

Donderdag 23 oktober

Lezen: Zacharia 3:1-5

...een stuk zwartgeblakerd hout... (vs. 2)

Een onthutsend visioen! Nota bene de hogepriester, de meest heilige man van het volk, staat in vuile kleren voor de engel van de HEER. Hij is de man die jaarlijks offert voor de zonden van het volk op Grote Verzoendag. Maar die vuile kleren geven het beeld van een vies mens: vies door de zonden van het volk. En de duivel staat erbij en zorgt ervoor dat niemand eroverheen kan zien: zo weerzinwekkend smerig, daar kan God niets mee.

Maar dat zit gelukkig heel anders: inderdaad is Jozua van zichzelf een hopeloos geval, een geblakerd stuk brandhout. Maar God is toch genadig: Jozua krijgt schone kleren en een nieuwe tulband. Als nieuw ziet hij eruit! Dat is genade. God geeft zijn volk een nieuwe kans; hoe smerig je je ook voelt en wat je ook hebt gedaan: er is bij Hem vergeving. Wat een geweldige God! Hij reinigt ons, we zijn weer als nieuw.

Vrijdag 24 oktober

Lezen: Zacharia 3:6-10

...in één enkele dag zal Ik dit land reinigen... (vs. 9)

Hoe kan God zo gemakkelijk de vuilheid van hogepriester Jozua wegnemen? We zagen gisteren dat hij helemaal opnieuw mocht beginnen. Dat is niet omdat God geen hekel heeft aan het vuil van de zonde, maar omdat zijn dienaar zal komen, 'de telg aan de stam van David'.

Hier komt de belofte aan David in herinnering; God beloofde uit het nageslacht van David een verlosser te sturen die God en mens zou verzoenen. Wanneer we lezen van Gods liefde en vergeving, lezen we over Jezus! Hij is het over wie het gaat, de beloofde Zaligmaker.

Hij bracht het offer aan het kruis en reinigde Gods volk van alle zonde. Hij is ook voor ons het bewijs dat God van ons houdt en onze zonden wil vergeven. De duivel klaagt ons graag aan, en ons eigen geweten kan het ons lastig maken. Maar als we denken aan Jezus, stoppen de aanklachten: want Hij heeft alles volbracht.

Zaterdag 25 oktober

Lezen: Zacharia 4:1-14

Niet door eigen kracht of macht zal hij slagen... (vs. 6)

Hoofdstukken als deze uit een profetisch boek kunnen moeilijk zijn - je kunt er een heel boek over schrijven. Tegelijkertijd wordt er niet geheimzinnig gedaan over de boodschap: het gaat goed komen, die tempel zal worden gebouwd. Ook al had niemand er vertrouwen in, toch gaat het lukken.

Waarom? Omdat God het wil! De Geest van God zal helpen, en die is zo krachtig dat het goed gaat komen.

Wij hebben soms geen vertrouwen in dingen omdat we denken vanuit ons verstand. We meten de kansen en we zeggen: het is onmogelijk. Maar wanneer God zijn belofte geeft ligt het natuurlijk heel anders; zou voor Hem iets te moeilijk zijn? Wat is het heerlijk dat Hij zich met zijn kracht achter het doel zet: het gaat goed komen. Want dat is toch wel de boodschap van dit hoofdstuk. Laten we vooral leven uit geloof: dan ben je vol goede moed. Ook al snap je niet alles.

Zondag 26 oktober

Lezen: Zacharia 5:1-4

Dat is de vloek die rondwaart over het hele land. (vs. 3)

Zacharia ziet een vliegende boekrol met vloekspreuken erop. Dat klinkt niet goed; een vloek is het tegendeel van een zegen. Het zal slecht gaan met mensen. Is dat nu de toekomst van het Beloofde Land?

Maar wanneer we zien welke mensen worden getroffen dan is duidelijk hoe heilzaam het is: dieven en mensen die meineed plegen. Het zijn de slechte dingen die moeten worden uitgebannen. Het leven wordt inderdaad mooi wanneer onbetrouwbaarheid wordt afgestraft. Je fiets hoeft niet meer op slot en je kunt alle mensen op hun woord geloven. Zo'n wereld gaat het worden. Een wereld waarin alleen goedheid en waarheid bestaan, waarin je echt leeft. Het is de wereld waarover Johannes later mag vertellen in het boek Openbaring: in het nieuwe Jeruzalem zal niemand meer zijn die de leugen liefheeft en doet. Dat is wat God wil - en wat Hij zal brengen!

Maandag 27 oktober

Lezen: Zacharia 8:1-8

...waarom zou het voor Mij onmogelijk zijn? (vs. 6)

Gods beloften zijn ongelooflijk. Het was voor de mensen in Israël onvoorstelbaar dat er ooit weer een bloei zou komen, een normaal leven met oude mensen en kinderen, en een stad die net als vroeger wereldberoemd en gerespecteerd zou zijn. Dan moesten er eerst wel wonderen gebeuren.
Maar als God het belooft? Dan kan het toch? Het leven is begrensd, mogelijkheden moeten realistisch worden ingeschat. Maar het is realistisch om God op zijn woord te geloven, want Hij kan alles wat Hij wil. Zo lezen we de woorden van God over toekomst, leven en geluk. Als je om je heen kijkt denk je: het kan niet. Totdat je beseft dat God gesproken heeft en dat zijn woorden vol van troost en toekomst zijn. Leven in vertrouwen op God en zijn woord is een geweldig leven; wat wij niet zien zitten is voor Hem mogelijk. En wat Hij heeft beloofd zal Hij zeker doen!

Dinsdag 28 oktober

Lezen: Zacharia 8:18-23

Ga met ons mee. (vs. 21)

Wanneer God zijn volk genadig is gebeuren er ook geweldige dingen in de wereld om Israël heen. Want wanneer de Israëlieten weer gaan leven met God, worden de volken jaloers. Dat is Gods plan geweest vanaf het begin: om door Israël de volkeren te trekken. Helaas werkte dat niet altijd zo. In de tijd van koning Salomo was het even zichtbaar geweest hoe goed leven met God is. Maar meestal wekte het volk niet tot jaloersheid. Ook vandaag is het de bedoeling dat mensen aan ons kunnen zien dat het leven uit geloof geweldig is. Dat je daardoor een echt mens bent zoals God heeft bedoeld. Maar ook de kerk weet vaak eerder af te schrikken dan te trekken. Dat is erg; zouden we niet moeten bidden om Gods genade zodat ook ongelovigen zouden willen komen en Hem dienen? Als we echt uit Gods woord leven maakt dat mensen jaloers.

Woensdag 29 oktober

Lezen: Zacharia 9:9-10

Je koning is in aantocht... (vs. 9)

Er is alle reden om te juichen. Want er zal weer een koning komen in Jeruzalem. Hij is al in aantocht. Als christenen denken we bij deze woorden aan Jezus' intocht in Jeruzalem, toen Hij op een ezel reed en iedereen 'Hosanna!' riep. Terecht heeft men toen gedacht aan de profetie van Zacharia.

Toch ging het anders dan verwacht; Jezus' koningschap ging langs de weg van lijden en sterven. De profetie is in twee gedeelten. Dat maakt ook voor ons nu nog de oproep om te juichen actueel. Want zijn werk zal zijn: vrede stichten tussen de volken. Zijn vrede zal heersen tot aan het eind van de wereld. Kunt u het zich voorstellen: een wereld van louter vrede? Maar het gaat gebeuren wanneer Jezus komt. Gods geweldige toekomst gaat ver buiten de grenzen van Israël. Het is wereldwijd. Juich! Schreeuw het uit van vreugde. Want onze koning is in aantocht!

Donderdag 30 oktober

Lezen: Zacharia 10:1,2

...ontredderd, want een herder is er niet. (vs. 2)

Mensen hebben houvast nodig in hun leven. Vaste zekerheden. Dan kun je nadenken over de zin van het leven en je eigen leven leiden zo goed en zo kwaad het gaat. Dan kun je proberen een toekomst op te bouwen.

Mensen zoeken houvast waar ze maar kunnen; in een talisman, horoscoop of waarzegger. Wat zal de toekomst brengen? Hoe krijg ik een gelukkig leven? Er is maar één echt houvast, één troost in leven en sterven. Dat is God. Wanneer je geluk zoekt, vraag het Hem! Wanneer de boeren regen nodig hebben moeten ze de HEER vragen. Want waarzeggers laten mensen in de steek, zodat ze schapen zijn zonder herder. De goede Herder is Jezus, wanneer Hij je leven stuurt ben je nooit ontredderd, wat er ook gebeuren mag. Hij neemt je voor zijn rekening.

God wil niet dat wij troosteloos ronddwalen; Hij wil uw en mijn leven in zijn hand houden. Om Jezus' wil!

Lezen: Romeinen 1:16,17

...Gods reddende kracht voor allen die geloven... (vs. 16)

Vandaag is het Hervormingsdag. Precies 498 jaar geleden zette Maarten Luther een beweging op gang die de waarde van de bijbel weer zag. Sola Scriptura: alleen door het woord.

Hij had dit geleerd van Paulus; het evangelie is niet maar een mooi verhaal, maar een reddingsactie van God, een kracht om verloren zondaren vrij te spreken. Daarom lezen we in de bijbel en denken we na over de boodschap van God.

Het mooie daarvan is: je hoeft geen prestatie te leveren om bij God welkom te zijn. Geloven is voldoende, dat Jezus de Redder is en dat Hij alles al heeft gedaan wat nodig was. Als die boodschap in je hart leeft dank je God iedere dag. Wat is Gods goedheid groot, wat is God genadig voor zondige mensen. Dat is evangelie, blijde boodschap, voor mensen die aan zichzelf twijfelen en hun zwakheid wel kennen. Aan Jezus hoef je nooit te twijfelen!

VOLGEND JAAR WEER *DAG IN DAG UIT?*

**Bestel nu DAG IN DAG UIT voor 2015!
U kunt de volgende editie bestellen bij de
christelijke boekhandel, of bij de uitgevers
(de adressen vindt u voorin dit boek).**

Zaterdag 1 november

Lezen: Numeri 21:1-3

...zullen wij hun steden volledig vernietigen. (vs. 2)

Het volk Israël staat op het punt om het Beloofde Land, Kanaän, binnen te trekken. Kanaän wordt dan wel 'het land dat overvloeit van melk en honing' genoemd, het is helaas ook het land dat overvloeit van afgoderij. En juist daarom beloven de Israëlieten de HEER alle steden van Kanaän te vernietigen. Op die manier zal het hele land voor de HEER en voor zijn volk zijn. In het land waar Gods volk mag wonen, kan immers geen plaats zijn voor afgodenverering? Daarom levert de HEER de Kanaänieten aan de Israëlieten uit.
Toewijding aan de HEER vraagt ook vandaag nog om een radicale keuze: alles loslaten wat ons af kan houden van de HEER! Bent u zo radicaal? En jij? Of laten we liever een deel van 'steden of dorpen' van de vijand van God overeind staan, zodat we ook nog kunnen profiteren van al het 'moois' dat de wereld ons te bieden heeft?

Zondag 2 november

Lezen: Numeri 21:4-9

Iedereen die ... daarnaar kijkt, blijft in leven. (vs. 8)

Wat zijn de Israëlieten ondankbaar voor Gods goede zorgen! En wat doen hun verwijten de HEER een verdriet! Als straf op hun verwijten en ondankbaarheid stuurt de HEER giftige slangen en vele Israëlieten sterven aan het slangengif. Toch wil de HEER hun zo iets heel belangrijks duidelijk maken: verwacht het van Mij! Daarvoor vraagt Hij wel bijna het onmogelijke: ze moeten hun ogen richten op een koperen *slang*! Hetzelfde dier dat om hen heen voor dood en verderf zorgt én het dier dat in de bijbel beschreven wordt als de belichaming van de duivel! Dit dier wordt nu het teken van Gods liefde en trouw, een teken van het leven dat God geeft! Daarom vergelijkt de HEER Jezus zichzelf later ook met deze slang. Want wie zijn ogen gelovig op Hem richt, zál bevrijd worden van de straf van de zonden en krijgt het eeuwige leven!

Maandag 3 november

Lezen: Numeri 21:10-20

Israël zong toen dit lied... (vs. 17)

Voor het eerst sinds de uittocht uit Egypte horen we de Israëlieten weer zingen. Ze bezingen de grote daden van de HEER. Want ondanks al het gemopper van hun kant, blijft Hij naar hen omzien! Hij gaf hun water uit een bron in de woestijn: een kostbaar geschenk! Water is immers van levensbelang!

Daarom spreekt Jezus in het Nieuwe Testament ook over zichzelf als 'het levende water'. Hij is voor ons immers ook van levensbelang! En Hij zegt erbij: 'Rivieren van levend water zullen stromen uit het hart van wie in Mij gelooft.' Wat een voorrecht: als we in Jezus geloven, zal er ook levend water uit ons hart stromen! En van dat water, van alles wat Jezus door de heilige Geest in ons leven doet, mogen wij weer uitdelen aan de mensen om ons heen. Zodat ook zij, samen met ons, de grote daden van HEER mogen bezingen. Zingt u mee?

Dinsdag 4 november

Lezen: Numeri 21:21-30

Israël nam alle steden van de Amorieten in... (vs. 25)

Koning Sichon denkt dat hij de Israëlieten gemakkelijk kan verslaan. Hij heeft de Moabieten en hun god Kemos immers ook gemakkelijk verslagen? Maar hij houdt geen rekening met de HEER, de God van de Israëlieten. De goden van de Moabieten en de Amorieten zijn slechts dode goden, maar de HEER is de levende God! Hij strijdt voor zijn volk. En met de HEER aan hun zijde verslaan de Israëlieten de Amorieten.

Met deze geschiedenis wil de HEER ons een belangrijke les in nederigheid leren: 'Vertrouw niet op je eigen kunnen, je geld, je reputatie, je intelligentie en je diploma's. Vertrouw alleen Mij!' Sichon vertrouwde te veel op zichzelf. Hij was hoogmoedig. En hij kwam ten val. Mensen kunnen je nog zó bejubelen; zonder de hulp van God ben je uiteindelijk niets. Maar wie op de HEER vertrouwt, zal het merken: 'De HEER strijdt ook voor mij!'

Lezen: Numeri 21:31-35

Je hoeft niet bang voor hem te zijn... (vs. 34)

Angst. De Israëlieten zullen zeker bang zijn geweest: koning Og van Basan kwam met zijn voltallige leger op de Israëlieten af! En dan schrompelt menselijk vertrouwen snel ineen! Daarom wilde de HEER het volk én Mozes bemoedigen: 'Je hoeft niet bang te zijn. Ik ben bij jullie. Ik strijd voor jullie.' Dat gold vroeger, toen Israël bedreigd werd door grote koningen met machtige legers. Maar dat geldt ook nu nog: als de duivel, de grote tegenstander van God, ons geloof aan het wankelen probeert te brengen, of als we ons bedreigd voelen door angsten uit het verleden, het heden of de toekomst. Ook dan zegt de HEER tegen ons: 'Wees niet bang, Ik ben bij je. Ik strijd voor u en jou!' Of, zoals een bekend kinderliedje zegt: 'Je hoeft niet bang te zijn, al gaat de storm tekeer. Leg maar gewoon je hand in die van onze HEER.'

Donderdag 6 november

Lezen: Numeri 22:2-6

Dat volk is te sterk voor mij. (vs. 6)

Balak is bang en probeert zijn eigen hachje te redden door de hulp in te roepen van een beroemde magiër uit die tijd. Bileam moet Israël vervloeken. Balak voert dus een geestelijke strijd! Zo maakt deze koning duidelijk dat de strijd tussen Israël en de andere volken eigenlijk een strijd is tussen God en zijn tegenstander, de duivel. En ook vandaag woedt die strijd tussen God en zijn tegenstander nog voort. Hoe meer liefde en kracht er uitgaat van Gods kinderen, hoe harder de duivel probeert hier een stokje voor te steken. Maar gelukkig mogen wij weten dat Jezus door zijn dood en opstanding de duivel heeft overwonnen! De laatste stuiptrekkingen van de duivel kunnen nog wel voor veel verdriet en moeiten zorgen. Maar we mogen weten dat Jezus de Grote Overwinnaar is. Als we bij Hem schuilen, zal de duivel zijn strijd uiteindelijk moeten opgeven.

Lezen: Numeri 22:7-12

...vervloek dat volk niet, want het is gezegend. (vs. 12)

De woorden van de HEER zijn duidelijk: Bileam mag niet meegaan naar koning Balak. Het volk Israël mag niet vervloekt worden, omdat het een gezegend volk is. Gezegend, omdat het door God is uitgekozen als zijn volk, zijn kinderen. En: wie aan Gods volk komt, komt aan God zelf! En wie God vervloekt zal op zijn beurt ook door God vervloekt worden. Toch is die keuze niet gemakkelijk voor Bileam! Aardse beloningen zijn zichtbaar, terwijl Gods woorden wijzen op een nog onzichtbare werkelijkheid. Die van zijn straf en zijn zegen. In geloof weten wij: aardse straffen zijn niet zo zwaar als Gods straffen en aardse beloningen kunnen niet op tegen de beloften die God heeft gegeven voor degenen die Hem dienen en gehoorzamen. Dat probeert de HEER Bileam duidelijk te maken. En dat wil Hij ook ons duidelijk maken. Hoe kiest u/kies jij?

Lezen: Numeri 22:13-21

Maar je mag alleen doen wat Ik je opdraag. (vs. 20)

Bileam lijkt wel vastbesloten (vs. 18), maar in zijn hart verlangt hij naar de rijkdom die hem in het vooruitzicht gesteld wordt. Daarom hoopt hij God op andere gedachten te kunnen brengen. En God stemt nu wel met zijn verzoek in. Is God dan ineens van mening veranderd? Nee, dat zeker niet! God mag dan wel toestaan dat Bileam meegaat naar Balak, Hij zal niet toestaan dat Bileam zijn volk vervloekt. Gods 'nee' blijft 'nee'. Daarom mag Bileam alleen maar doen wat God hem opdraagt. Maar Bileam hoort alleen wat hij wil horen. Hij hoort als het ware de kassa rinkelen: wat zal hij rijk worden van deze opdracht als hij twee heren dient!
En wij? We rekenen vaak alleen met ons eigen belang en proberen God soms zelfs voor ons karretje te spannen. Dat doet God verdriet. Bid daarom vandaag om een gehoorzaam hart dat altijd Gods belang vooropstelt.

Zondag 9 november

Lezen: Numeri 22:22-30

'Je drijft de spot met me,' zei Bileam. (vs. 29)

Bileam is kwaad op zijn ezelin. Zij zet hem voor schut! Door haar lijkt hij, Bileam de grote ziener, nog dommer dan een ezel! In feite *is* Bileam ook dommer dan een ezel; in elk geval dan deze ezel. Deze trouwe ezelin heeft haar ogen open en ziet een engel van de HEER. Ze begrijpt Gods bedoelingen. Bileam niet. Hij ziet nog steeds alleen maar wat hij zelf wil zien: de angst dat hij zijn reputatie en de beloofde bergen met geld zal verliezen door de nukken van zijn ezelin. God kan een mens op onverwachte manieren iets duidelijk maken of tot bezinning brengen. De vraag is alleen of wij - anders dan Bileam - openstaan voor de 'ezelinnen' die God op ons pad stuurt. Laten we daarom bidden om een open oog voor wat God ons - ook vandaag - duidelijk wil maken. En om vergeving voor al die keren dat we Gods boodschap niet hebben (willen) verstaan.

Maandag 10 november

Lezen: Numeri 22:31-35

Toen opende de HEER Bileam de ogen... (vs. 31)

Bileam noemt zichzelf een ziener, maar is blind voor wat de enige ware God hem duidelijk wil maken. Zijn ezelin was immers een zegen voor hem (vs. 33), en zo is Gods gezegende volk Israël een zegen voor iedereen die het volk goed behandelt. Maar Bileam vervloekte zijn ezelin en hij is nu op weg om het volk Israël te vervloeken. Door zo tegen Gods wil in te gaan, maakt Bileam God tot zijn tegenstander. Dat laat de HEER hem zien, als Hij Bileam de ogen opent. Dan kan Bileam alleen nog maar knielen en zijn zonden belijden. En dat is ook voor ons de enige weg als we moeten erkennen dat we tegen Gods wil in zijn gegaan. Uit die belijdenis komt dan als vanzelf de vraag op: 'HEER, wat wilt U dat ik wél doen zal?' God wil dat Bileam alleen dát doet en zegt wat Hij hem opdraagt. Niets meer en niets minder. En dat vraagt Hij ook van ons.

Dinsdag 11 november

Lezen: Numeri 22:36-41

Alleen wat God mij in de mond legt kan ik zeggen. (vs. 38)

Bileam heeft het inmiddels door: hij kan en wil alleen dat doen wat God van hem verlangt. Balak begrijpt daar niets van. Hij denkt dat een profeet of waarzegger zelf kan beslissen of hij iemand vervloekt dan wel zegent. Balak meent ook dat alle spirituele krachten hetzelfde zijn: magie, waarzeggerij of een offer aan (een) God. Zolang het in zijn straatje past, is alles toegestaan. Hij snapt niet dat magie en waarzeggerij krachten van de duivel zijn. En ook als hij het wel zou weten, zou het hem weinig kunnen schelen; als het maar helpt...

Ook nu is dat de instelling van veel mensen. Magie, astrologie, glaasje draaien, mediums en andere 'waarzeggerij', als het kan werken, wordt het ingezet. Laat u hier niet mee in! De duivel probeert u hierdoor van God los te weken. Vertrouw niet op duivelse zaken, maar verwacht je hulp alleen van de HEER!

Woensdag 12 november

Lezen: Numeri 23:1-10

...moge ik heengaan zoals zij. (vs. 10)

Hoe hard Balak ook hoopt en welke dure(!) offers hij ook brengt, Bileam kan het volk Israël niet vervloeken (vs. 8). Hij doet zelfs het tegenovergestelde: hij zegent het volk. Bileam gebruikt hiervoor de woorden die God hem in de mond legt. De zegenspreuk heeft de vorm van een Hebreeuws gedicht, waarbij steeds twee regels bij elkaar horen en ongeveer hetzelfde betekenen. Bileam eindigt zijn zegenspreuk met de wens dat ook hij eenmaal zou mogen delen in de zegeningen die God voor Israël heeft weggelegd. Zegeningen die verder reiken dan het graf. Want wat is er een rijke toekomst voor mensen die in God geloven! Jezus zegt in het Nieuwe Testament dat iedereen die in Hem gelooft niet verloren gaat maar het eeuwige leven heeft. Een eeuwig leven, ook na de dood, onder de bescherming van de HEER. Kunt u zich iets mooiers wensen? Eeuwig leven: het grootste geschenk

Donderdag 13 november

Lezen: Numeri 23:11-16

Spreek vanaf daar voor mij een vloek over hen uit. (vs. 13)

Balak is en blijft hardleers. Hij wil maar niet inzien dat de woorden die Bileam spreekt, wáár zijn. De aanwezigheid van Israël is geen bedreiging, maar zegen. Tenminste, als Balak ervoor kiest het volk niet te vervloeken maar te zegenen. Want de HEER zal zegenen, wie Israël zegent!

De HEER Jezus is de vervulling van de zegen die God aan Israël heeft gegeven. Hij is op aarde gekomen om de straf op de zonden op zich te nemen. Of God ons zegent of ons niet wil kennen, hangt af van onze reactie op wat Jezus gedaan heeft. Ziet u Hem als uw Redder? Is Hij alles voor je en wil je Hem jouw leven geven? Dan zal Hij u en jou zegenen. En als gezegende kinderen van God mogen we dan ook weer een zegen zijn voor andere mensen. Want je bent pas echt gezegend als je die zegen ook met anderen kunt delen.

Vrijdag 14 november

Lezen: Numeri 23:17-26

God is geen mens, dat Hij zijn woord zou breken... (vs. 19)

Als een klein kind wordt Balak op zijn plaats gezet: 'Nu moet je eens even goed luisteren, Balak. God komt niet terug op zijn besluit!' Het is duidelijk dat Balak gewend is altijd zijn zin te krijgen. Wat hij beveelt, moet gebeuren. Zelfs de goden moeten naar hem luisteren. Maar de God van Israël, de levende God, luistert niet naar de bevelen van mensen. God doet alleen dat wat Hij beloofd heeft. Daarom klinkt het, als waarschuwing voor Balak: 'Israël zal zijn vijanden verslaan, zoals een leeuw zijn prooi verslindt' (vs. 24).

Wat is het goed om te weten dat God zijn beloften niet breekt. Hij houdt zich aan de beloften die Hij gegeven heeft aan wie in Hem gelooft: zijn liefde, zijn troost, zijn nabijheid en een eeuwig leven met Hem. Hoe moeilijk het leven ook kan zijn, God laat zijn kinderen niet los. Vertrouw Hem maar op zijn woord.

Zaterdag 15 november

Lezen: Numeri 23:27-30

En hij nam hem mee naar de top van de Peor... (vs. 28)

Balak is hardleers én Oost-Indisch doof. De woorden in de verzen 18-24 waren toch duidelijk genoeg? Toch wil Balak Israël nog steeds laten vervloeken. Hij kiest hiervoor een aan Baäl, een afgod, gewijde plaats uit, de Peor. En ook al noemt hij de naam van Israëls God (vs. 27), hij hoopt in zijn hart dat zijn god Baäl hem op deze plek een handje zal helpen.

Hoe slecht we de keuze van Balak ook kunnen vinden; wie herkent er niet iets van bij zichzelf? Hoe vaak probeert u God 'een handje te helpen' als u iets graag wilt? Hoe vaak vraag jij Hem om zijn hulp bij een (moeilijke) keuze, terwijl je die keuze - of die nu wel of niet met Gods wil overeenstemt - eigenlijk al gemaakt hebt? Zowel voor Balak als voor ons geldt te allen tijde: luister naar de stem van God en leef in overeenstemming met zijn wil. Dan pas heb je een gezegend leven.

Zondag 16 november

Lezen: Numeri 24:1-9

...in de ogen van de HEER*... (vs. 1)*

Zoals we eerder lazen, was Bileam door Balak, een Moabitische koning, ingehuurd om het volk Israël te vervloeken. Op die manier wilde Balak de situatie in zijn voordeel ombuigen. Dan blijkt dat Gods Geest beslag legt op de mens Bileam. Hij wordt door Gods Geest gegrepen, raakt in extase en spreekt als een profeet. Bileam richt zich hiermee tot het Israëlitische volk. Hij besluit zijn profetie met: 'Gezegend wie u zegent, vervloekt wie u vervloekt!' In deze uitspraak klinkt de zegenrijke belofte die God zelf aan Abraham gaf, door. Bileam is voor de derde keer pleitbezorger in opdracht van God. Gods Geest brengt mensen - ik hoop ook u en mij - elkaar Gods zegeningen te gunnen.

Maandag 17 november

Lezen: Numeri 24:10-13

...alleen wat de HEER zegt, zal ik zeggen. (vs. 13)

Koning Balak dacht de waarzegger aan zijn kant te hebben, het tegendeel blijkt. Dat maakt hem woedend. In de discussie die volgt, beroept Bileam zich op God als dé beslissende macht. Daar kan hij met al zijn hocus pocus niet tegenop. Voor een beloning of aanzien willen mensen nog weleens schipperen met eerlijk zijn. Maar integriteit is niet om te kopen en dat valt Balak tegen. De deal wordt ter plekke ontbonden. Bileam mag teruggaan naar zijn eigen land, zonder betaling!

Bileam is voor Gods autoriteit gezwicht, maar machthebbers als Balak die dat niet doen, lopen uiteindelijk vast. De ervaring leert dat een profeet niet altijd dingen zegt die ons van pas komen. Ook dan is onze persoonlijke respons op Gods woord van belang. Welke positie kies jij wanneer iemand bewust tegen Gods bedoeling en belofte in gaat?

Dinsdag 18 november

Lezen: Numeri 24:14-22

Een ster komt op uit Jakob, een scepter uit Israël. (vs. 17)

Omdat Bileam gehoorzaam is aan Gods wil, ontvangt hij van Godswege inzicht over toekomstige situaties. Bileam geeft die kennis door in de vorm van profetieën. Ze hebben betrekking op Moab, Amalek en de Kenieten. Deze nomadenstammen staan Israël in de weg. Ze verhinderen het volk om op krachten te komen, of door te reizen en te verblijven in het Beloofde Land.

Elke profetie heeft een concrete toepassing, die vaak in een ander tijdbestek herhaald wordt met overstijgende betekenis. Bij vers 17 (dagtekst) gaat het om een koningschap dat uit Israël voortkomt. De ster staat hier symbool voor een heerser of koning. Later, bij de geboorte van de Heer Jezus, is er een ster opgegaan, zo hebben sterrenkundigen verklaard. Door in de bijbel te lezen en alert te zijn op wat er in de wereld gebeurt, blijkt de actualiteit van veel profetieën.

Woensdag 19 november

Lezen: Numeri 24:23-25

Hierna keerde Bileam naar zijn woonplaats terug, en ook Balak ging naar huis. (vs. 25)

Balak trekt zich terug, een illusie armer. Zijn politieke manoeuvre om door vervloekingen de nederlaag van Israël te bewerken, heeft volledig gefaald. Bileam is in financieel opzicht er niet op vooruitgegaan, hij is wel een ervaring rijker. De vraag is of Bileam echt veranderd is en de zucht naar geld in het vervolg niet meer doorslaggevend is voor zijn handelen. Bij het profeteren bestaat misschien de valkuil om vooral zelf ervan te willen profiteren. Bileam heeft Gods Geest nodig om in het spoor van recht en waarheid te blijven. Anders zou het terug naar huis gaan, terug bij af betekenen.

Ook voor christenen is het niet vanzelfsprekend dat zij altijd naar Gods wil handelen. Wat ons helpt Gods wil te doen, is: betrokken zijn bij een gemeente en de erediensten bijwonen. Je zult dan anders naar buiten komen, dan je naar binnen bent gegaan.

Donderdag 20 november

Lezen: 1 Petrus 1:1-12

...waardoor wij leven in hoop. (vs. 3)

De christenen aan wie Petrus zijn brief schrijft, leven onder toenemende druk door vervolging vanwege hun geloof. Hij schrijft zijn brief om hen te bemoedigen. Hij schrijft met het beoogde einddoel voor ogen: de redding door het geloof in Jezus Christus. Dit alles stáát dankzij de opstanding van Jezus Christus uit de doden. Hoop doet leven, zeker als het gebaseerd is op het verbond waarvan Petrus getuigt. Dat nieuwe verbond is rechtsgeldig dankzij het unieke offer, het verzoenend bloed van Christus. Door in het geloof daarop te blijven rekenen, wordt je alles geschonken. Als je hoopvol leeft en handelt vanuit Jezus' overwinning, kun en zul je een standvastig christen zijn.

Vrijdag 21 november

Lezen: Romeinen 5:1-6

Deze hoop zal niet worden beschaamd... (vs. 5)

In dit bijbelgedeelte gaat het over geloof, hoop en liefde. Het geeft vreugde te ontdekken dat God zijn liefde aan ons bewijst in Christus. En, dat Hij in ons een goed werk is begonnen. Dat gebeurde al voordat wij tot geloof kwamen! Wanneer God een werk start, zal Hij het voleindigen. Twijfels aan onze kant kunnen het werk van God stagneren, maar vormen geen blijvende belemmering. De heilige Geest is ruimschoots in staat om onze moeilijkheden te overstijgen! Dat geeft een hoop die niet teleurstelt. Menselijke liefde kan uitgeput raken, maar Gods liefde is meer dan overvloedig. Twijfel nooit aan die liefde, zegt Paulus. Bedenk dat Christus voor ons stierf toen wij nog schuldig waren. Het hangt (gelukkig) niet van ons af, maar van Gods liefde!

Zaterdag 22 november

Lezen: Hebreeën 6:13-20

Onze toevlucht is het vast te houden aan de hoop op wat voor ons in het verschiet ligt. (vs. 18)

'Beloofd is beloofd', roept een meisje tegen haar vriendin terwijl zij naar huis fietst. Daarmee staat die afspraak voor beiden vast. Bij volwassenen is het soms onzeker of men op gemaakte afspraken kan rekenen. Er zijn financiële garanties nodig om bij het in gebreke blijven een regeling te treffen. Abraham, vader van alle gelovigen, bleef standvastig in zijn vertrouwen op God, én hij kreeg wat hem beloofd was. Bij de generaties na Abraham herhaalde God zijn toezegging en werd de belofte aan Gods naam verbonden. God zelf staat dus garant voor zijn belofte. Het ervaren dat Gods beloften 'ja en amen' zijn, is het fundament van ons bestaan. Ondanks wisselende omstandigheden is die hoop als een anker voor onze ziel. God heeft in wat nodig is voorzien. Laten wij vandaag in volledig vertrouwen ons richten op Jezus, de vervulde belofte van God!

Zondag 23 november

Lezen: Romeinen 8:18-23

Maar ze [de schepping] heeft hoop gekregen... (vs. 20)

Het reikhalzend uitzien naar iets beters wordt door Paulus beschreven. Hij verklaart dat de schepping aanvoelt dat de huidige situatie niet voor eeuwig zal zijn. In de bijbel lezen we dat op Gods tijd alles nieuw zal worden. Paulus past de vergelijking toe van barensweeën die voorafgaan aan een geboorte. Het is een cruciaal moment wanneer het sterfelijk leven in onvergankelijkheid verandert. Juist daar ziet de schepping enorm naar uit! Omdat dan ook de natuur uit de ban van zinloosheid wordt bevrijd. Het zichtbaar worden van de heerlijkheid die Gods kinderen ten deel zal vallen, geeft vreugde en zegen. Daarbij valt alle moeite en pijn in het niet. Wat een geweldige boodschap mag de kerk bekend maken: er is hoop voor de toekomst! Zie jij daar ook zo verlangend naar uit?

Maandag 24 november

Lezen: Romeinen 8:24-30

Maar als wij hopen op wat nog niet zichtbaar is, blijven we in afwachting daarvan volharden. (vs. 25)

De Heer Jezus prijst de mensen gelukkig als zij niet zien en toch geloven in Gods genade. Het vraagt vertrouwen van ons om wat God beloofd heeft, volhardend te blijven verwachten. Laten de zorgen je niet kwellen of de drukte van het dagelijks leven je niet afleiden. Want, wat hebben wij in werelds opzicht te verliezen? We kunnen er alleen maar bij winnen door meer te beantwoorden aan Gods bedoeling. Zoals: aandacht hebben voor onze eeuwige bestemming en naar het volwassen evenbeeld van Jezus toe groeien. Hierbij is de voortdurende stimulans van de heilige Geest nodig. Hij inspireert ons bij het bidden en pleit voor allen die Jezus toebehoren. Het geeft vreugde te ervaren dat God in staat is alles te laten meewerken aan het goede. Hij heeft voor nu én later een plan met jou. Dat goddelijk werk is te vertrouwen. Het geeft hoop en uitzicht.

Dinsdag 25 november

Lezen: Efeziërs 1:3-14

...tot eer van Gods grootheid. (vs. 12)

De verzen 3 t/m 14 vormen in het Grieks één lange zin. Het is een opstapeling van gedachten, waarbij Paulus tot uitdrukking brengt wat je ontvangt met de geestelijke gave van God. Wij worden uitbundig gefeliciteerd! Maar het begint met: 'Gezegend zij de God en Vader van onze Heer Jezus Christus.' Het woord 'zegenen' betekent goede woorden zeggen over iemand. In die strekking is God als 'gezegend' te zien. Hij is het waard om goed over Hem te spreken! De boodschap is dat door de rijke genade die ons in Christus wordt aangereikt, er bestaansgrond is. De basis waarop onze hoop en verwachting steunen, als een voorschot op wat komen gaat. Om dit geweldige vooruitzicht kunnen we God toch van harte bedanken?

Woensdag 26 november

Lezen: 1 Timoteüs 1:1-2

...en van Christus Jezus, onze hoop. (vs. 1)

Met het thema 'de christelijke hoop' komen we terecht bij Christus zelf. In de tekst is het de aanduiding van Christus. Hij *is* de belichaming van onze hoop. Die hoop is geen vaag of onbestemd gevoel, omdat ze *in* Christus is vertegenwoordigd!

Wie Christus toebehoort, heeft alles, zoals hoop op het eeuwig heil en deel aan de werkelijkheid van Gods koninkrijk.

De apostel Paulus verbindt aan God de titel 'Heiland', Redder. Dit begrip is van oorsprong verbonden met het koningschap. In de oudheid was aan een heerser de verwachting van heilbrenger gekoppeld. Bij God gaat het om een uniek verlossingsplan, dat voortgekomen is uit zijn liefdevol raadsbesluit.

Paulus richt de aandacht van Timoteüs hierop: Christus is onze hoop, God is ons heil. Dat mag Timoteüs' leven bepalen.

Donderdag 27 november

Lezen: 1 Tessalonicenzen 4:13, 14

...niet ... treuren, zoals zij die geen hoop hebben. (vs. 13)

Is er leven na de dood? En zo ja, hoe dan? De apostel Paulus is heel zeker hierover. Zijn opvatting is namelijk niet gebaseerd op menselijk denkwerk, maar op wat God in Jezus aan het licht heeft gebracht: Jezus is gestorven en opgestaan! Dat was Gods werk, dat heel ons leven – inclusief ons levenseinde – in een nieuw licht plaatst. Dankzij Jezus weten we van leven door de dood heen. Van leven in Gods heerlijkheid. Het is deze onvergelijkelijke daad van God, die onze levenshouding bepaalt: we hebben verwachting en hoop boven onze menselijke grenzen uit. Dit uitzicht bepaalt ten diepste onze houding wanneer we geconfronteerd worden met een sterfgeval. Niet dat ons verdriet er niet zijn mag! Maar het is geen treuren zonder hoop. Dankzij Jezus' opstanding zijn wij mensen met een hoopvol perspectief, ook oog in oog met de dood!

Vrijdag 28 november

Lezen: 1 Tessalonicenzen 5:8-11

...en getooid met de helm van de hoop op redding. (vs. 8)

De toerusting die wij van God ontvangen, is zijn gave om ons te beschermen in de strijd. De hoop, aangeduid als helm, is naast geloof en liefde in te zetten als geestelijke activiteit. Paulus roept ieder op om nuchter te blijven en zich niet in te laten met handelingen die het daglicht niet kunnen verdragen. Hier gevolg aan geven doen we niet uit angst vanwege Jezus' onverwachte wederkomst. We zijn gehoorzaam omdat we niet verslagen willen worden bij een achterhoedegevecht. Het is de bedoeling dat we 'bewapend met de helm van de hoop en onze verdere wapenuitrusting' in de frontlinie weerbaar zijn. Want terwijl we uitzien naar Jezus' komst, blijft het nodig om alert te zijn.
De christenen in Tessalonica waren voor elkaar een voorbeeld. Ondertussen verwachtte men de wederkomst van Christus, al liet – en laat – die (nog even) op zich wachten.

Zaterdag 29 november

Lezen: Romeinen 8:31-39

...die Hij ons gegeven heeft in Christus Jezus, onze Heer. (vs. 39)

Wie Gods liefde kent, is een mens met hoop. Ondertussen kun je je afvragen hoe je die liefde op het spoor komt. De wereld om ons heen en de geschiedenis tonen die liefde niet ondubbelzinnig. Naast geluk en voorspoed treffen ons verdriet en leed. Paulus kijkt, wanneer hij over de vaste hoop spreekt, dan ook niet naar zijn levensomstandigheden of naar het wereldgebeuren, maar enkel en alleen naar Jezus Christus. In Hem is Gods liefde klip-en-klaar aan het licht gekomen. Namelijk in reddende kracht, die de schuld verzoent en de dood overwint! Wie zich richt op die overwinnende liefde van Gods kant weet zich onder alle omstandigheden geborgen in Gods hoede.

Zondag 30 november

Lezen: Jesaja 7:10-17

...zij zal spoedig een zoon baren en Hem Immanuel noemen. (vs. 14)

Vandaag is het de eerste advent, de komst van het beloofde Kind wordt verwacht en gevierd. De profetie, het Immanuel-teken van Jesaja, heeft volgens sommige uitleggers betrekking op de geboorte van Hizkia (zoon en opvolger van koning Achaz). Toch is daarmee niet alles gezegd, want het profetisch perspectief zet geen punt, maar er volgt in tijd gezien een komma! Op die manier vindt hier tegelijk een verwijzing plaats naar de wondere geboorte van de Messias. Zo vatte Matteüs het later op.
In de tijd van Jesaja was het gebruikelijk dat de vader een naam aan het kind gaf. De profeet Jesaja vermeldt dat het hier de vrouw is, die de naam zal geven. Met het 'Immanuel' roepen - God met ons - getuigt de moeder van haar hoop! Laten wij attent zijn op Gods handelen en het heil van Hem blijven verwachten. Want in Christus is God met ons allen.

Maandag 1 december

Lezen: Handelingen 16:25-30

...wat moet ik doen om gered te worden? (vs. 30)

De komende dagen lezen we uit de Handelingen van de apostelen. Wie eruit leest, komt al snel op de gedachte dat ook God handelt, zoals hier. Paulus en Silas zijn gevangengezet omdat zij in Filippi een waarzegster hebben bevrijd van een boze geest. Goed nieuws zou je zeggen, maar nu zijn haar eigenaars hun bron van inkomsten kwijt. Eenmaal in de gevangenis zitten de twee niet bij de pakken neer, maar zingen ze 's nachts! Geen klaagliederen, maar lofliederen. Iedereen luistert en ineens breekt alles open: een hevige aardschok doet alle deuren openspringen. De bewaker schrikt, weet zich geen raad en wil zichzelf van het leven beroven. Paulus grijpt op tijd in en sidderend vraagt de bewaker: wat moet ik doen om gered te worden? Een doorbraak!

Dinsdag 2 december

Lezen: Handelingen 16:31-34

...buitengewoon verheugd dat hij nu in God geloofde. (vs. 34)

Wat kan er in een paar uur tijd veel gebeuren. Het ene moment sta je op het punt jezelf van het leven te beroven, het andere moment zit je thuis met twee christenen en ben je gedoopt, samen met huisgenoten. Ongelooflijk toch? Wij houden er vandaag de dag nauwelijks rekening mee dat mensen tot geloof kunnen komen. Dat een (vreemde) gebeurtenis mensen op een ander been kan zetten, zodat zij zich afvragen: is er toch een God? In de dagen van Paulus zag men gebeurtenissen, zoals een aardschok, vaak als een ingrijpen van God. Wij komen juist met 'logische' verklaringen op de proppen. Doen we daarmee wel recht aan het handelen van God in onze werkelijkheid? God is uit op ons geloof. Hij rammelt onze werkelijkheid binnen om ons en anderen geloof te schenken. De bewaker ontdekte dat geloof in God hem buitengewoon blij maakte.

Woensdag 3 december

Lezen: Handelingen 16:35-40

Geen sprake van! (vs. 37)

Na de bijzondere gebeurtenissen van de nacht breekt de morgen aan. Paulus en Silas krijgen te horen dat ze vrij zijn, maar Paulus protesteert. Zij zijn zonder proces geslagen en nu wil de Romeinse overheid hen stiekem laten gaan? Paulus beroept zich erop dat hij Romeins staatsburger is en die mogen volgens de wet niet zomaar gestraft worden. Paulus wil dat de stadsbestuurders zelf komen en hen de gevangenis uitleiden, als een vorm van compensatie. Dat gebeurt. Bijzonder: de overheid geeft eerherstel aan twee rondreizende evangelisten. Het is dapper dat Paulus voor zichzelf opkomt. Hij is vals beschuldigd, maar hij weet eerlijk en zonder venijn zijn punt te maken bij de overheid. Vals beschuldigd worden. Hoe ga je daarmee om? Hoe reageer je meestal?

Donderdag 4 december

Lezen: Handelingen 17:1-4

Sommigen lieten zich overtuigen... (vs. 4)

Paulus reist verder en komt in Tessalonica terecht. Hij gaat zoals hij gewend was eerst naar de synagoge. Daar komen zijn volksgenoten bij elkaar om met elkaar te discussiëren over het geloof. Paulus sluit zich aan en doet mee. Met Paulus erbij krijgt het gesprek een bijzondere wending. Het gaat nu over de bewering dat Jezus de Messias is, op wie de Joden al zo lang wachtten. Wel, zegt Paulus, de Messias is Jezus, want Hij is gestorven en opgestaan. Dat zal ik jullie aantonen vanuit jullie eigen Joodse bijbelboeken, vanuit de Psalmen, vanuit Jesaja, vanuit Ezechiël. Er ontstaat een levendig debat! Het liefst was ik erbij geweest, ergens achter een pilaar om te horen hoe Paulus dat doet: aantonen dat Jezus de Messias is. Een mooie uitdaging voor ons om vanuit de bijbel te laten zien dat Jezus de Messias is. Aan welke passages denk je dan?

Vrijdag 5 december

Lezen: Handelingen 17:5-9

...vervuld van jaloezie... (vs. 5)

Ooit ben ik door een paar oude vrienden stevig uitgescholden omdat ik christen geworden was. Ik was vooral verbaasd, begreep er niets van. Er was toch iets moois gebeurd?
Sommige Joden die niet in de opvattingen van Paulus zijn meegegaan, reageren fel en vol jaloezie. Ze moeten niets van de boodschap van Paulus hebben. Hun klacht is duidelijk: Paulus en zijn volgelingen zijn mensen die in het hele rijk de orde verstoren. Orde? Welke orde? Ze zijn bang voor chaos in het land omdat christenen niet meer de wetten en de keizer gehoorzamen. Christenen beweren inderdaad dat niet de keizer het voor het zeggen heeft in hun leven, maar dat Jezus Heer is. Vreemd, overal waar het evangelie klinkt, roept het uiteenlopende reacties op: van dankbare toewijding tot bevlogen vijandschap. Waar staan wij?

Zaterdag 6 december

Lezen: Handelingen 17:10-14

...ze luisterden vol belangstelling... (vs. 11)

Paulus en Silas zijn ontkomen aan het volksoproer in Tessalonica. Ze vertrekken naar Berea en ontmoeten daar een welwillend gehoor. Men luistert aandachtig naar de woorden van Paulus en bladert zelfs door de bijbel om te controleren of alles klopt. Er komen mensen tot geloof. Bijzonder is het wanneer je meemaakt dat het evangelie iets uitwerkt in het leven van anderen. Paulus kan er ongestoord zijn werk doen. Maar zijn tegenstanders uit Tessalonica reizen Paulus achterna en komen naar Berea om ook daar het volk tegen Paulus op te zetten. Het is weer hetzelfde liedje, maar de verbazing blijft: waarom kunnen mensen zich zo tegen het evangelie afzetten? Wellicht ken je dit uit je eigen omgeving. De een reageert welwillend, de ander venijnig. Wat zou daarachter zitten? Hoe ga je ermee om? Paulus liet zich in ieder geval niet ontmoedigen.

Zondag 7 december

Lezen: Jesaja 8:23-9:6

...door een helder licht beschenen. (9:1)

Een paar jaar geleden was ik op een verjaardag bij vrienden. Aan het einde van de avond viel de elektriciteit uit, niet alleen in huis, ook op straat. Alles aardedonker. Maar het feestje ging gewoon door - af en toe vroeg iemand: kun je even bijschijnen? Dat is precies de belofte die Jesaja doorgeeft als hij schrijft dat het volk door een helder licht beschenen wordt. Dat was nodig, omdat het volk in duisternis ronddoolt. Een stevige uitspraak van Jesaja! Maar ik proef er vooral compassie in die ook Jezus kenmerkt: mensen dolen rond als schapen zonder herder.

Hoe zit dat bij ons? Ook wij hebben het nodig dat God ons het licht van zijn Zoon schenkt over ons leven. Dat geeft een vrede waar geen einde aan zal komen, aldus de profeet Jesaja.

Maandag 8 december

Lezen: Handelingen 17:15-21

Wat beweert die praatjesmaker toch? (vs. 18)

Paulus is op reis en wacht in Athene op zijn twee medewerkers zodat zij weer verder kunnen. Ondertussen wandelt hij wat door de stad. Paulus kijkt zijn ogen uit en ziet allerlei godenbeelden. De inwoners van Athene offeren en bidden wat af. Als hij in Utrecht zou hebben gelopen dan zou Paulus onze moderne afgoden hebben gezien: kleding, eten, gadgets. Paulus raakt wat geïrriteerd en hij zoekt het gesprek met de inwoners van Athene. Ze begrijpen niet veel van hem. Hij zou namelijk spreken over Jezus en over een godin met de naam Opstanding. Wel, dat kan onze ervaring ook zijn. Wanneer mensen zó anders in het leven staan, dan zullen zij het verhaal van het evangelie niet meteen begrijpen. Toch is de boodschap die Paulus brengt, prikkelend genoeg om hun interesse te wekken. De apostel wordt dan ook uitgenodigd voor een vervolggesprek.

Dinsdag 9 december

Lezen: Handelingen 17:22-28

...Gods bedoeling dat ze Hem zouden zoeken en ... vinden... (vs. 27)

Er is meer tussen hemel en aarde dan wij kunnen bevroeden. Soms maken mensen iets bijzonders mee waardoor ze bij dat 'meer' stilstaan. Paulus deed ervaring op bij de inwoners van Athene. 'Ik heb gezien,' zegt hij, 'hoe godsdienstig jullie zijn.' Zo godsdienstig dat ze voor *alle* goden een altaar hebben opgericht, zelfs voor de 'onbekende god'. Blijkbaar zijn ze bang om een god over te slaan. Daar haakt Paulus handig op in: over deze onbekende God wil ik het met jullie hebben!

Want de God in wiens dienst Paulus staat, is niet onbekend. Paulus verkondigt Hem als de Schepper van hemel en aarde, die aan ons tijd en ruimte schonk, opdat wij in verbondenheid met Hem zouden leven. Omdat Hij ons heeft gemaakt, is Hij niet onbekend – we dragen zijn stempel. Hij is niet ver van ons verwijderd: uit Hem komen wij voort.

Woensdag 10 december

Lezen: Handelingen 17:29-34

God ... roept nu overal de mensen op om een nieuw leven te beginnen... (vs. 30)

Het evangelie is niet slechts een mooi idee, een warm gevoel of een diepe gedachte. Het evangelie wordt zichtbaar in ons wanneer wij een nieuw leven beginnen. In Athene vond men het heerlijk om over de laatste filosofietjes te praten. Alles goed en wel, zegt Paulus, het leven wordt pas echt interessant wanneer je het aan God wijdt. Waarom? Een leven waarin allerlei goden een plek hebben, geeft verwarring. Zo veel goden, zo veel stemmen. Ze schreeuwen allemaal om de voorrang. Voor je er erg in hebt, ben je slaaf van de goden die je (on)bewust hebt toegelaten. Week je daaruit los, zegt Paulus, en richt je op God. Het grootse van het evangelie is dat je in dat nieuwe leven God leert kennen. Daar is God op uit, dat jij leeft met Hem, nu en straks. Want zelfs de dood is geen spelbreker in jouw leven met God.

Donderdag 11 december

Lezen: Handelingen 18:1-4

...verliet hij [Paulus] Athene en ging naar Korinte. (vs. 1)

Paulus trekt verder. We kunnen ons maar moeilijk voorstellen hoe het leven van een rondtrekkend evangelist eruitziet. De meesten van ons zijn eerder 'evangelist' in hun vertrouwde omgeving. Waar Paulus steeds weer nieuwe mensen ontmoet, daar komen wij regelmatig onze buren, vaste vrienden en kennissen tegen. De een gelooft wel, de ander niet. Vaak lijken dan de kaarten al te zijn geschud. Of niet?

Paulus komt steeds weer in nieuwe situaties terecht, ontmoet andere mensen met wie hij het evangelie deelt. Steeds weer vanuit de verwachting dat mensen hun leven aan Jezus Christus geven. En ook iedere keer, we hebben dat in de vorige passages gelezen, zijn de reacties uiteenlopend. Van spot tot belangstelling, tot aanvaarding. Hoe dan ook, Paulus gaat ermee door en is trouw aan zijn roeping.

Vrijdag 12 december

Lezen: Handelingen 18:5-8

Voortaan zal ik me tot de heidenen richten. (vs. 6)

De Joden in Korinte reageren zeer heftig op de woorden van Paulus. Zoals gewoonlijk trok hij altijd eerst naar de synagogen om het evangelie aan zijn volksgenoten door te geven. Maar zij verzetten zich en vloeken erop los. Paulus op zijn beurt reageert ook heftig en keert zich van de Joden in Korinte af. Hij gaat zich nu op de niet-Joden, de heidenen, richten. Wie deze paar verzen leest, raakt onder de indruk van de heftigheid. Het kan soms flink botsen. Liever gaan wij dergelijke confrontaties uit de weg, en dat is in veel gevallen heel begrijpelijk. Paulus is niet bang voor aanvaringen. Hij weet: dit kan het evangelie ook oproepen, omdat hierin een diepe beslissing voor ons mensen opgesloten ligt. Het moet bemoedigend zijn voor Paulus dat er toch velen tot geloof in de Heer komen.

Zaterdag 13 december

Lezen: Handelingen 18:9-17

Wees niet bang, maar blijf spreken en zwijg niet! (vs. 9)

Na het conflict met de Joden, richt Paulus zich tot de heidenen in Korinte. Hij verblijft er anderhalf jaar en velen komen er tot geloof. Op een nacht krijgt Paulus een visioen, waarin God hem laat merken dat hij moet doorgaan met zijn werk en dat niemand hem kwaad zal doen. Staat er iets spannends te gebeuren? Inderdaad. De Joden keren zich alsnog tegen hem, maar weten uiteindelijk bij de rechter geen voet aan de grond te krijgen. Paulus heeft zich niet laten ontmoedigen, God is hem nabij geweest. Over het werk van Paulus zullen we niet romantisch spreken, het is geen 'heerlijke baan'. Wie het evangelie wil delen met anderen, maakt zowel hoopvolle als moeizame momenten mee. Dat is geen andere weg dan de weg die Jezus ging. Naast geloof was er verwerping en haat. Maar God bleek overwinnaar - door de dood heen!

Zondag 14 december

Lezen: Jesaja 11:1-5

De Geest van de HEER zal op hem rusten... (vs. 2)

Twee jaar geleden hield ik een overdenking voor de leden van de protestants-christelijke ouderenbond. Met een oude, dode boomstronk liep ik naar voren en zette deze met een zware klap op tafel neer. Ik begon erover te vertellen. Even ervoor had iemand uit Jesaja 11 gelezen. De stronk staat nu bij ons in de tuin als decoratie. Verder dient deze geen doel. Jesaja gebruikt een oude stronk als een beeld voor de geschiedenis van Israël die op dood spoor is geraakt. Voor God is dit niet 'einde verhaal': Hij laat uit het volk van Israël iemand opkomen op wie de Geest van de Heer zal rusten. Deze persoon zal opvallen door zijn wijsheid en kracht, opkomen voor de zwakken en zal het recht doen zegevieren. Door deze persoon is een andere samenleving mogelijk. Er is maar één iemand die dit Messiasschap draagt: het is Jezus van Nazaret.

Maandag 15 december

Lezen: Handelingen 18:18-23

...waar hij [Paulus] alle leerlingen moed insprak. (vs. 23)

We hebben al veel gelezen over Paulus' inzet om het evangelie te delen met zowel Joden als heidenen. Hij kwam daardoor soms in penibele situaties terecht. Maar Paulus doet meer. Voordat ik daar iets over schrijf, nog even dit. We lezen in een tussendoorzinnetje dat Paulus voor vertrek zijn hoofd laat kaalscheren. Mogelijk deed hij dit als uiting van een gelofte van dankbaarheid - God heeft hem immers op zijn reizen gespaard!
Paulus blijft ook oog houden voor zijn medegelovigen. Hij bemoedigt hen en zal op zijn beurt versterkt worden door deze gesprekken. Het bemoedigende geloofsgesprek, niemand kan zonder. Zonder een vriendelijk woord van onze medegelovigen kan niemand. Spreek het!

Dinsdag 16 december

Lezen: Handelingen 18:24-28

...door Gods genade een grote steun ... voor de gelovigen... (vs. 27)

Er zijn christenen die een aantal titels voor hun naam hebben staan, zoals doctorandus en doctor. Deze mensen kunnen veel betekenen voor de verkondiging van het evangelie (uiteraard niet meer of minder dan iemand die niet zo geleerd is!). Het kan zijn dat zij ingewikkelde zaken helder weten te verwoorden, dat zij moeilijke vragen goed kunnen begrijpen en dat zij duidelijke lijnen in de bijbel weten open te leggen. Wat zal Paulus ook blij zijn geweest met Apollos. Heel mooi is dat zijn werk gezegend wordt en dat twee andere gelovigen hem zelfs nog wat bijsturen. Blijkbaar stond Apollos daar open voor. Ook al had hij een paar titels voor zijn naam, Apollos was geen betweter. Gelukkig maar, want dan heb je niet zo veel aan je kennis en inzicht. Bid voor geleerde christenen dat zij het evangelie in alle eenvoud mogen delen.

Woensdag 17 december

Lezen: Handelingen 19:1-7

Toen ... daalde de heilige Geest op hen neer... (vs. 6)

We geven liever onze mening dan dat we over 'de waarheid' spreken. Het evangelie stuit op argwaan omdat mensen te vaak teleurgesteld en bedrogen zijn. Maar wie werkelijk gelooft dat Jezus de Weg, de Waarheid en het Leven is, leeft vanuit een overtuiging die uitgedragen mag worden. Daarbij moeten we erop letten dat we door onze woorden of daden Jezus' boodschap niet weerspreken. Onze woordkeuze en manier van communiceren zijn belangrijk! In Handelingen 19 lezen we over Joodse gelovigen die nog nooit van de heilige Geest gehoord hebben. Zij kennen alleen de bekeringsboodschap van Johannes de Doper, totdat Paulus tijdens een van zijn reizen vertelt over het werk van Jezus en de door Hem beloofde Geest. Mooi om te zien hoe deze gelovigen met begrip, liefde en respect worden 'bijgepraat'. Zo worden zij door Paulus gewonnen voor Jezus Christus!

Donderdag 18 december

Lezen: Handelingen 19:8-12

Door Gods toedoen verrichtte Paulus buitengewoon grote wonderen... (vs. 11)

Paulus weet waar hij over spreekt als hij Joodse gelovigen vertelt over Jezus Messias. Zelf had hij zich fanatiek verzet tegen de 'nieuwe leer' van Christus en z'n best gedaan deze 'dwaling' te stoppen. Totdat hem onderweg naar Damascus een halt toegeroepen werd. Wie had Saulus (later Paulus) tot inkeer gebracht? Wie had hem met woorden overtuigd? We lezen in Handelingen dat het Jezus zelf was die ingreep en Saulus een totale bekering liet doormaken. We weten ook dat Saulus daarvóór aanwezig was bij de indrukwekkende preek van Stefanus, maar uiteindelijk moest Jezus ingrijpen om Saulus op de knieën te krijgen.
Na zijn bekering getuigt Paulus vrijmoedig over Christus. Met wisselend succes. Maar hij laat zich niet van de wijs brengen. Het goede nieuws gaat toch wel door en God zelf verleent daar op wonderlijke wijze kracht aan.

Vrijdag 19 december

Lezen: Handelingen 19:13-20

Zo zegevierde het woord van de Heer en vond het steeds meer gehoor. (vs. 20)

De verkondiging van de bevrijdende boodschap van Jezus Christus is geen 'trucje' dat aangeleerd of tegen betaling overgenomen kan worden. In de begintijd van de kerk kwamen mensen onder de indruk van het effect van de verkondiging en waren ze blijkbaar niet uit op werkelijke persoonlijke overgave aan Jezus Christus. Ze zagen handel in het evangelie. Maar wie zo met het evangelie omgaat, krijgt het woord tegen zich en zal ontdekken dat er geen werkelijke overwinningen op de duisternis behaald kunnen worden. Dat zien we gebeuren in dit bijbelgedeelte, waar mensen met verkeerde motieven met de boodschap van het evangelie 'aan de haal gaan'. Spelen met vuur! Gelukkig lezen we ook dat het goede nieuws door deze valse predikers niet tegen te houden is. Bij alle namaak blijkt des te meer wat wel geloofwaardig, krachtig en van blijvende waarde is!

Zaterdag 20 december

Lezen: Handelingen 19:21-28

Jullie weten dat onze welvaart afhankelijk is van dit werk. (vs. 25)

De boodschap van Jezus is vaak goed voor een rel. Dat was al zo in zijn confrontatie met scherpslijpers en betweters. Het was ook zo in de beginjaren van de kerk. Het evangelie betekent blijkbaar niet voor iedereen goed nieuws. Demetrius, de zilversmid, bijvoorbeeld, zag de bui al hangen. Zijn inkomen, en dat van degenen die voor hem werkten, was afhankelijk van de verkoop van zilveren Artemistempeltjes. Als mensen Jezus als Heer zouden erkennen en daarmee hun afgoden zouden afzweren, was het gedaan met deze winstgevende handel. Die gedachte alleen al was genoeg om enkelen erg boos te maken. Kom je aan Artemis, dan kom je aan ons. Dat geeft te denken, ook vandaag. Wat mag het ons kosten om Jezus te volgen? Als wij het goede nieuws aannemen, haalt dat dan misschien een streep door onze lucratieve plannen? En: waar kiezen we dan voor?

Zondag 21 december

Lezen: Jesaja 11:6-10

Niemand doet kwaad, niemand sticht onheil... (vs. 9)

We naderen het kerstfeest. Hopelijk met een groeiend verlangen naar vrede en saamhorigheid. Of kunnen we het bericht van 'vrede op aarde' niet meer verdragen omdat de werkelijkheid zo anders is?

Jesaja schetst ons een onwerkelijk beeld van roof- en prooidieren die vredig naast elkaar liggen, in gezelschap van een onschuldig kind. Te mooi om waar te zijn. En het is ook niet waar, in ieder geval nog niet hier en nu. Profeten hebben een reputatie als boodschappers van onheil. Waarschuwingen en donderpreken, oordelen en straffen als het volk niet terugkeert op de weg van de HEER.

Ook nu nog is er alle reden om mensen op te roepen om onrecht na te laten en de weg van God te gaan. Omdat het visioen dat Jesaja ons schetst - een wereld waar vrede en gerechtigheid heerst - nu al onze levenshouding bepaalt.

Maandag 22 december

Lezen: Handelingen 19:29-34

Daar schreeuwde de menigte inmiddels van alles... (vs. 32)

In Efeze is de situatie volledig uit de hand gelopen. De boosheid van een paar handelslieden slaat over op de massa en op het laatst is iedereen verontrust, al weten de meesten niet eens waartegen er geprotesteerd wordt. Verwarring alom. Als enkeling begin je zelden iets tegen massale boosheid. Maar wat we er ook van denken, het geeft in elk geval aan dat de boodschap van Jezus destijds ongehoord schokkend nieuws was. Jezus was voor velen de langverwachte Messias, maar voor anderen vormde Hij een bedreiging, een 'skandalon' (struikelblok, schandaal). Het is goed ons te realiseren hoe 'schandalig' het evangelie in de oren klinkt en hoe de publieke opinie zich daar plots massaal tegen kan keren. Schokt de boodschap van Jezus Messias ons vandaag ook nog?

Dinsdag 23 december

Lezen: Handelingen 19:35-40

...kalm blijven en niet onbezonnen te werk gaan. (vs. 36)

Verschil van mening kan bestaan en er kan mee geleefd worden, maar bij een felle overtuiging, in relationele, politieke of religieuze sfeer, is de kans op escalatie groot. Dat was het geval in Efeze, waar de brengers van een nieuwe overtuiging, het geloof in Jezus Christus, in aanvaring kwamen met de gevestigde belangen. Het was en is lastig om dan de gemoederen tot bedaren te brengen. Al helemaal als er ook een zakelijk belang meespeelt! De stadssecretaris lost het diplomatiek op. Hij neemt het op voor de brengers van de nieuwe leer ('deze mannen zijn geen tempelschenners en belasteren onze godin niet') en wijst op de formele gerechtelijke procedures die er zijn om (financiële) geschillen op te lossen. Zo probeert hij zowel de belangen van Paulus en zijn medewerkers, alsook van de stad Efeze veilig te stellen.

Woensdag 24 december

Lezen: Matteüs 1:1-17

Bij haar werd Jezus verwekt, die Christus genoemd wordt. (vs. 16)

In de lange rij met mannennamen duiken bij Matteüs ineens enkele vrouwennamen op. Na Tamar, Rachab, Ruth en de vrouw van Uria wordt Maria genoemd. Maria, de vrouw van Jozef, uit wie Jezus geboren is. Juist die vrouwen geven aan dit overzicht iets bijzonders. Het zijn ook op Maria na steeds vrouwen buiten Israël. Door hen te noemen, wijst Matteüs een belangrijk aspect van Gods bedoeling in Jezus Christus aan. Hij heeft vanaf het begin de volkeren in het oog gehad. Ook met het oog op niet-Joden wordt Jezus geboren. Wat een troost ligt daarin voor ons. En wat een opdracht! De blijde boodschap van Jezus Christus heeft wereldwijde strekking.

Lezen: Matteüs 1:18-25

...en men zal Hem de naam Immanuel geven... (vs. 23)

Welke naam geef je een kind? Ouders denken hier meestal goed over na. Voor Jozef was de keuze niet moeilijk, hij kreeg van de engel een duidelijke instructie: 'Geef Hem de naam Jezus.' Jezus, een naam die in Israël niet ongewoon was, betekent: 'Hij die redt'. Jezus is de Griekse versie van de Hebreeuwse naam Joshua: 'God redt'. Zo ligt al in de naam van Jezus, die Christus (de Gezalfde) genoemd wordt, de belofte van redding besloten. Het is God zelf die redding brengt, door zijn Zoon, onze Heer Jezus Christus. Matteüs verwijst naar Hem als Immanuel - God met ons. Hoe dichtbij kan God komen? Wat ontroerend dat Hij kwam als kwetsbare baby om in ons mensenlot te delen en deze wereld met liefde te bevrijden.

Lezen: Matteüs 2:1-8

Wij ... zijn gekomen om Hem eer te bewijzen. (vs. 2)

Wat moet dat een opmerkelijke groep mensen zijn geweest: magiërs, 'wijzen' zegt men wel, die uit het Oosten naar Jeruzalem kwamen. Omdat zij door een ster aan de hemel een pasgeboren koning op het spoor waren gekomen. De bedoeling van de reis was ook duidelijk: de magiërs wilden de nieuwe koning eer brengen. Ze hadden kostbare geschenken meegenomen: goud, wierook en mirre. Maar niet iedereen was blij verrast door de komst van dit Koningskind. Herodes was zo gehecht aan zijn status en macht, dat hij niet terugdeinsde voor grof geweld. Matteüs maakt ons duidelijk dat Herodes daarbij op slinkse wijze te werk ging.

Hoe treden wij, in onze tijd, koning Jezus tegemoet? Buigen wij als wijzen eerbiedig ons hoofd voor Hem of speelt ook onze trots op als we de Heer van het leven ontdekken?

Zaterdag 27 december

Lezen: Matteüs 2:9-12

Toen ze dat zagen, werden ze vervuld van diepe vreugde. (vs. 10)

De geboorte van een mens zou altijd een bron van vreugde moeten zijn. Wat prachtig als een kind gewenst en geliefd is, als er met verwachting naar uitgezien is!

Zeker, naar de geboorte van Jezus was niet alleen reikhalzend uitgekeken door zijn ouders, maar ook door generaties gelovigen daarvoor - die verlangden naar de komst van de Messias, de langverwachte Redder!

De magiërs hadden een lange reis ondernomen om deze bijzondere Koning hulde te brengen. Zij namen goud mee, een koninklijk geschenk. Wierook - een verwijzing naar lieflijke aanbidding, passend bij een priester. En mirre, kostbare zalf-olie, een geschenk vol diepe betekenis - zeker voor wie bedenkt dat Christus de gezalfde is. Vervult zijn komst ons ook vandaag weer met diepe vreugde? Geven wij Hem ook nu de eer die Hem alleen toekomt?

Zondag 28 december

Lezen: Matteüs 2:13-15

Uit Egypte heb Ik mijn Zoon geroepen. (vs. 15)

Egypte wordt van oudsher geassocieerd met onderdrukking en slavernij. Toch is dat land ook (denk aan de aartsvaders ten tijde van hongersnood) een veilig toevluchtsoord. We lezen hoe Jozef met vrouw en kind naar Egypte vlucht. Vluchtelingen zijn het, op weg naar een ver land om daar als vreemdelingen te leven.

Egypte is het land dat het volk van God achter zich had gelaten. Maar voor de oudtestamentische Jozef was Egypte juist het land van redding geweest. En ook zijn familie had in tijden van nood Egypte opgezocht om te kunnen overleven. Mozes leidde het volk later naar het Beloofde Land, Israël. De geschiedenis neemt opmerkelijke wendingen en bij deze nieuwtestamentische Jozef, Jezus' aardse vader, is Egypte opnieuw het land van redding, een uitwijkplaats waar men gastvrijheid en bescherming vindt.

Maandag 29 december

Lezen: Matteüs 2:16-18

Rachel ... wilde niet worden getroost... (vs. 18)

Kinderen van de rekening. Wat verschrikkelijk dat het vaak juist de zwakste, meest kwetsbare schepselen zijn die opgeofferd worden. Denkend aan Egypte, waar de farao Hebreeuwse jongetjes had laten vermoorden, vervult ook deze geschiedenis ons met afschuw.

De geschiedenis heeft zich herhaald en Matteüs heeft daar weet van. Hij hoort er een echo in: Rachel, de tweede vrouw van Jakob, huilde bittere tranen toen zij het leven liet bij de geboorte van haar kind, haar zoon Benjamin. En hier loopt het tragische lot van Gods uitverkoren volk parallel met het tragische lot van de Man van smarten. Vreugde en pijn heffen elkaar niet op, ze staan tegenover elkaar als de dood en het leven zelf. Het verdriet wordt niet vergeten, maar de vreugde van het leven, de liefde zelf wint het van de wrede haat.

Dinsdag 30 december

Lezen: Matteüs 2:19-23

...zo ging in vervulling wat gezegd is door de profeten... (vs. 23)

De profeten, de dienstknechten van God, hadden in oude tijden voorzegd wat er stond te gebeuren. Matteüs brengt hun woorden in herinnering, toont daarmee aan dat dingen niet allemaal 'toevallig' gebeuren. Boven de geschiedenis uit is daar het heilsplan van God zelf. Hij waarschuwt, bestuurt, grijpt in. Zo ook in het leven van Jozef en Maria. Het gevaar voor hun kind is reëel, de angst volkomen terecht. Maar vertrouwen blijkt sterker dan angst, hoop krachtiger dan vrees. En gesteund door de rijke geschiedenis van uitredding en bevrijding van het volk Israël uit Egypte, gaat Jozef met zijn gezin gelovig op weg. Terug naar het Beloofde Land, met Jezus als kostbaar kind, levend onder de bescherming van zijn aardse ouders én hemelse Vader. De omstandigheden zijn zwaar en dreigend, maar God heeft de leiding vast in handen.

Lezen: Matteüs 3:1-6

Maak de weg van de Heer gereed, maak recht zijn paden. (vs. 3)

Het eind van het jaar, het eind van het verhaal? Zeker niet! We zagen hoe de God der eeuwen zijn plan geduldig en volhardend uitvoert. Dwars tegen de slechte plannen van zijn tegenstanders in. Dwars door gevaarlijke tijden en omstandigheden heen, loopt de weg van Gods heil. En hier, op een keerpunt van de geschiedenis, komen we een imposante wegbereider tegen. Zijn naam is Johannes, de man wiens stem krachtig klonk door de woestijn van het leven: 'Maak de weg van de Heer gereed, maak recht zijn paden.' Johannes was een boeteprediker die de mensen opriep tot bekering van hun zonden. Als teken daarvan doopte hij hen. Later zou hij in Jezus de door God beloofde Messias herkennen, die definitief zou afrekenen met de macht van zonde en dood. In Hem ligt ons eeuwig behoud. Wat een hoopvolle boodschap op de grens van het nieuwe jaar.

Het Leger des Heils

Het Leger des Heils is onderdeel van *The Salvation Army*, waarvan het Internationaal Hoofdkwartier in Londen is gevestigd. In 1865 begon dominee William Booth in de achterbuurten van de Engelse hoofdstad met het werk van deze organisatie. Het is nu een wereldwijd vredesleger dat in honderdvijfentwintig landen werkzaam is. Het Leger des Heils verkondigt het Evangelie van Jezus Christus en is in alle werelddelen actief op veel terreinen van de maatschappelijke hulpverlening.

Het Leger des Heils heeft in Nederland zo'n vijftig kerkelijke gemeenten. Stuk voor stuk zijn dit plaatsen waar iedereen welkom is. Doel van de laagdrempelige diensten op zondag is mensen de gelegenheid te geven zich te bezinnen op de zin van het bestaan, anderen te ontmoeten en tot rust te komen.
De kerkdiensten kenmerken zich door een enthousiaste samenzang en een praktijkgerichte overdenking. In bijna alle gemeenten is er oppas voor de kinderen. Na afloop is er meestal gelegenheid om onder het genot van een kop koffie met elkaar in contact te komen.

Daarnaast is het Leger des Heils een van de grootste hulpverleningsorganisaties van het land. Over Nederland verspreid heeft het tweehonderdvijftig vestigingen van waaruit vijfduizend medewerkers en vele vrijwilligers hulp verlenen. Kenmerkend voor deze hulp is dat de wensen en behoeften van hulpvragers centraal staan. Om een zo sluitend en samenhangend mogelijk hulpaanbod te garanderen, is het Leger actief op de terreinen van maatschappelijke opvang, gezondheidszorg, jeugdhulpverlening en -bescherming, reclassering, verslavingszorg en sociale activering.

Voor meer informatie: Nationaal Hoofdkwartier
Spoordreef 10
1315 GN Almere
Telefoon (036) 53 98 111
www.legerdesheils.nl

Woorden komen tot leven

Onder dat motto zetten Ark Media, Ark Mission en IZB-Ark Boekhandel zich in voor de verspreiding van het Evangelie. We willen woorden schrijven en verspreiden die Leven wekken bij mensen, ingegeven door de Bijbel.

ark media

Ark Media blijft als toonaangevende christelijke uitgeverij lezers verrassen met prachtige boeken, kaarten en kalenders. Mensen van alle leeftijden krijgen bij Ark Media de volle aandacht. Kijk voor meer informatie en het totale boekenfonds op *www.arkmedia.nl* - (020) 480 29 99.

ark mission

Stichting Ark Mission (voorheen Vereniging tot Verspreiding der Heilige Schrift/Bijbel Kiosk Vereniging) zet zich al 100 jaar in voor bijbelverspreiding in binnen- en buitenland. Verschillende projecten voor diverse doelgroepen; o.a. kinderen, gevangenen, zeelieden, blinden en slechtzienden. Ark Mission is hierbij afhankelijk van giften.
Helpt u mee? Kijk op *www.arkmission.nl* - (020) 480 2999.
Ook *www.kinderbijbels.nl* is een initiatief van Ark Mission.
Een site vol informatie voor wie een kinderbijbel wil aanschaffen.

IZB Ark
voor meer dan boeken
izb-ark.nl

Bij IZB-Ark Boekhandel kunt u terecht voor al uw bestellingen van christelijke boeken, muziek, films en nog veel meer. Ga naar *www.izb-ark.nl* of bel naar 033-461 32 25 en bestel! U ondersteunt met uw aankoop het werk van Ark Mission en de IZB.